三島由紀夫のエンターテインメント1

三島由紀夫研究 ㉔

〔責任編集〕
松本　徹
佐藤秀明
山中剛史
有元伸子
久保田裕子

鼎書房

三島由紀夫研究㉔

目次

特集 三島由紀夫のエンターテインメント 1

山中湖文学の森 三島由紀夫文学館 第18回レイクサロン 特別講演

現代小説は古典たり得るかという問い

――垣間見たミシマさんの〝素顔〟――

藤田三男

講師　藤田三男
２０２３年10月29日 於 徳富蘇峰記念館

はじめに

実は、こういうご面相でございまして、チラシの写真とはだいぶ違うんじゃないかとお思いの向きもあるかもしれません。これはちょうど十年前に撮った写真です。文芸批評家の山本健吉さんについて、歌人の高野公彦さんと話をしたときのものです。やっぱり十年たつと、本当に変わる。我ながら、良く変わるわけではないので、変わったなあというふうに思うんです。

藤田三男 氏

昭和の終りに、小学館の『昭和文学全集』の企画編集を手伝っていたことがありまして、その巻の一つに詩歌集のアンソロジーがあるんです。一冊に八十人くらいの詩人、歌人、俳人の写真を入れたいということになりました。文士とか歌人俳人の方、自分の写真なんかどうだっていいやと思ってらっしゃると予想していましたが、女性のみならず男性の歌人俳人でも、この眼鏡の写真を使いたくないとか、小うるさいことを言う方がいっぱいいるんです。しちめんどくさいので、七十何人かに、便箋に手書きで手紙を書いたんです。写真を送ってくださいと。そうしたら、見事に皆さん送ってきました。やはり文章をただコピーしてお送りしただけではだめです。それで写真が揃った。

吉岡實という詩人をご存じでしょうか。この人の詩を読んでも、私も、どこがいいのかよくわからないのですけど、私の尊敬する詩人や批評家は、みんな吉岡實ってのは凄い詩人だと。三島さんも、吉岡實は高く評価されていました。その吉岡實の写真にメモがついておりまして、「これは十年前の写真です。現在の自分の顔を消したいために」って書いてあるんです。なるほど、詩人というのは一枚の写真を送るのにも、現在の自分を隠すために十年前のを送りつけるのかと感心したわけです。それを真似したわけではないのです。八十も半ばを過ぎますと、写真を撮って自分の顔を見るのは苦痛ですね。人の顔を見るのも嫌なんですけれども。

去年の平野啓一郎さんのような現代の文壇を代表するような人が、三島文学をどう見るかという話をするのは示唆に富むと思いますが、私に文学観を語れと言われてもちょっと困るんです。ここへ呼んでくださった館の方々も、私をどう呼んでいいのか、作家でもないし評論家でもないし、詩人でも歌詠みでもないし、何でしょうかって。私は正確にいうと、元編集者。現役の編集者ではなく、元編集者です。

編集者というのは、それこそ一人二人の作家を専門に扱っている分には商売が成り立ちません。文壇の多くの方々とお付き合いが生じるものなんです。今この中で映像ではなくて、現実に三島由紀夫をご覧になったことのある方は何人くらいいらっしゃる？　あ、お一人。どちらで、会合か何かですか？

――来館者：「「サド侯爵夫人」の紀伊國屋ホールで。瑤子夫人といらしていて」

ああ、そうですか。昭和四十（一九六五）年、秋ですね。そのときのお話はのちほどまた出てくるかもしれません。

秋山駿という何年か前に亡くなった文芸評論家で、これは三島さんが発掘したと言ってもいい、ともかく文壇に出てきたときに路上の石ころばっかり書いてる文芸批評家だったんですね。こいつは何を書きたいのか、我々編集者にはよくわからなかった。三島さんはいち早く秋山駿の文芸批評家としての才能を認めたわけです。その秋山駿が言っているように、今、現文壇というのは――これは十五年前、二十年前ですけど――今とあんまり変わってないと思うのは、戦後文学では大岡昇平、埴谷雄高から大江健三郎まですっぽり抜けて、今の若い方の頭の中にはない。もう椎名麟三もいなければ堀田善衞も武田泰淳もいない。結局、三島由紀夫だけが残った。秋山さんは、こういう現象というのは何だろうかということをお書きになっています。

三島由紀夫をそういうふうにあらしめている今の文壇っていうのは、どうなっているのか。特にここにお集まりの若い方々は、私が昭和三十六年、六〇年安保の翌年ですけれども、河出書房新社に入ったときに見た文壇の景色っていうのは、ちょっと想像を絶するんじゃないかと。想像できないような盛況、日本の文芸書が飛ぶように売れ、海外の新文学が旺盛に移入された時代なんです。

しかしその中にあって、三島さんがどういう人か、もっぱら人間としての三島さんの話をします。私は特殊な関係があったわけではなくて、各出版社の文芸担当編集者の一人にすぎませんが、そこで通常の出版社、順調にいった出版社とは違うアクシデントによって、三島さんと接近したので、その話をしようと思います。

石原慎太郎のこと

しかし、タイトルが「人間三島由紀夫を垣間見る」というのも狭苦しい感じだし、ちょっとかっこつけて「現代小説は古典たりうるかという問い」っていうことにしました。お集まりの皆さん方は、三島由紀夫の有名な、「新潮」に書いた「現代小説は古典たりうるか」という評論を思い出されるでしょう。これは堀辰雄の「菜穂子」の話ですね。それから当時「文学界」に連載中だった石原慎太郎さんの「亀裂」という長篇小説について書いています。「亀裂」は刮目すべき作品だということを。

皆さん今は石原慎太郎という作家については、何のイメージも結ばないという方が多いかもしれませんが、彼の登場してきたときの鮮烈さというか、素晴らしさというのは、これは大江健三郎さんや開高さん以上のインパクトがあって、我々ちょっと年下の男には鮮烈でした。

日本のジャーナリズムを振り返ってみますと、昭和三十二年に、それまであった「週刊朝日」とか「サンデー毎日」とか「週刊読売」、プラスして「週刊公論」「週刊文春」「週刊新潮」とか、各社が週刊誌を出し、非常にジャーナリズムが巨大になって、その勢いがすごかった。そこに出て来た新しい文化のスターですね。本当に二十代の石原慎太郎ってのは、綺麗な人でしたね。男が男を綺麗と褒めるのはあまり気持ちのいいもんではないと思うんですけど、清潔感が漂った綺麗な男でした。何といっても当時身長1m80㎝というのは、（今は1m80㎝なんていうと若い男の子でざらにいますけれども）、当時は六尺近いなんてのは、これはもうバスケットの選手くらいしかいないですね。それで痩せてて、顔も締まってて、一躍大スターになっていくわけです。

三島さんはその当時は「金閣寺」を書いて完全にスターダムにのし上がり、最も注目されている「マスコミのスター」でした。それから三島の批評眼というのも、鋭かった。これは師匠の川端康成以上とは言いませんけども。川端さん、今の若い方は川端さんというと「伊豆の踊子」の小説家だと思っている方が多いのですが、あの人は日本の近代文芸批評の濫觴といってもいいくらいの人で、小説家では、正宗白鳥と川端康成というのが文芸批評を作った人なわけですね。

三島さんは偏りはありますけども、大概は十中八九褒めないんです。けなすんです。あんなの最低だって言って。ぼろくそに言うんですけれども。その中でも石原慎太郎、生涯で僕が聞いてる中で一番悪口言ったのは石原慎太郎のことだったと思います。だいたいあいつは自身の本の口絵写真で、著者近影っていうところに映画のブロマイドの写真を載せてるとかね、変な子どもの悪口みたいなことを言うんです。

それがお二人の仲の近しさです。ほんとに文士はいろんな人がいましてね、口も利かないっていう仲が悪いのもいるんですけども。そういうときに我々編集者はちょっと困るんですよ。例えば新しい(?)ところですと江藤淳と丸谷才一が、これはもう犬猿の仲で。丸谷さんは江藤淳に会いたくなくて。江藤淳の出る会には出ないんだっておっしゃってます。面白いから丸谷さんに一度聞いたことがある。どうして江藤さんが出るってわかるんですかって聞いたら、臭いでわかるんですって。だから江藤がいる会には僕は絶対出ませんって。そういえばそうだな、二人同じ会場にいたっていうことはあまりない。文士の仲はいろいろなんですけれども、大っぴらに悪口を言い合えるってのは親愛の情の表れなんですね。

終生、三島さんっていうのは石原慎太郎という作家のある核の部分を非常に買ってたけれども、小説家としては、俺よりは遅れてきた青年だな、だめだなこいつはというふうに、「亀裂」が終わったあたりから見切りをつけていたんじゃないかと思います。で僕は、「現代小説は古典たり得るか」という題をつけてから怖気を振るったのは、もしかするとあの題をぱっとご覧になって、「菜穂子」と「亀裂」を両方読んでいらした方がいらっしゃるかもしれません。あれ主人公が同じ名前なんですよね。「つづきあきら」って。「都築明」って、「つづくめえ」っていう洒落ですがね。

三島由紀夫の身長

さっきも石原さんの1m80cmって話が出ましたけど、昨日も佐藤館長と展示室へ入って、どうしてああいう意地悪なことをやるんですかね。三島由紀夫の身長はここまでですって1m30cmって書いてあるの、お気づきになりました？　通信簿かなんかがあって、小学校五年生で三島由紀夫1m30cmしかないんですよね。1m30cmっていうのは、小学校五年ですから、男の子ってのは中学一、二年で伸びたんですけど、それにしても1m30cmってのは小さいですよね。で、今の平均は1m45cmあるんだって丁寧に書いてありましたけれども、あれ見たら三島さんが今怒鳴り込んでくるかもしれませんよ。

というのはですね、みなさん、僕が入ってきたとき、今時、随分小柄の人だなと。僕のことを非常にスマートで長身の人だと思った方は一人もいないと思いますけれども。ちょうど僕は三島さんと0．何cmしか違わないんですよね。外や家の中で、あの人はハイヒールを履いてることがありましたから。だから高く見えたけれど、晩年下田のプールで泳いだとき、目の高さがちょうど同じだった。ああ三島さんって私と全く同じ。私はというと高等学校時代に15cm伸びたんですよね、それで１ｍ63㎝です。中学のときは、１ｍ48㎝ぐらいしかなかったんです。

　で、三島さんとその話をしたときのことです。最後に例の三島さん自身が仕組んだイベント、三島さんはものすごい短時間にあの文学展を企画するわけです。自分の遺書のようなつもりで。東武百貨店で。あのとき、何か用があって僕が電話したんです。推薦文を頼もうと思ったんですね。「日本の古典」っていう、日本の古典を現代語訳で出そうということで。で三島さんにまた怒られちゃって。「君は俺のものを読んでて、古典作品を現代語訳で読ませるなんて毒薬を読者に飲ませるようなもので、そんなものに推薦文を書くわけがないでしょう」って怒る。折り目正しく「ないでしょう」とか言ってる時には、まだ本当に怒ってるわけではないけど、話題を変えた方がいいと思って、東武の文学展はどうですか？　人は入っていますか？　と言ったら「やあどうですかね」って。もういらっしゃらないんですかって言ったら、「もう行きません。あんなところ行ったって、三島ってのはあんなちびなのかと言われるのがオチですからね」とか言うんで、それもそうですね。ってつい言っちゃったんです。そしたら三島さんが呵々大笑、あの馬鹿笑いして。「まあ、でも君に言われるんじゃ仕方ないか」って。０．何㎝しか違わないってのを最後のプールのときに確認してますからね。「そっか、君は１ｍ63㎝か」と。

　実は私の１ｍ63㎝ってのも嘘でしてね。１ｍ62．7、8とかそのぐらいしかないんです。１ｍ63㎝っていうのは、これも身長に対する恨みよ深うござるというんでしょうかね。昭和二十年代に、ミス・ユニバースっていうのがあった。伊東絹子さんという人が日本の女性で初めて、世界に、女性の体型として八頭身。八頭身がほんとにヨーロッパの女性として美しいかどうかは知りませんけどね。ともかくあの人１ｍ63㎝なんですよ。当時の日本人の女性としてはバカ高いハイヒール履いて１ｍ70㎝くらい。それでタイトスカートでビシッとしてらして。銀座裏で洋装店をやってらしたんです。僕は高等学校生だったんですけども。師匠に言われて毎月新橋の印刷屋に短歌の結社誌の出張校正に行ってたんです。するとあの伊東さんの洋装店の目の前を通るんですね。で毎月伺って、ウィンドウの前で彼女を見てるわけ。彼女もこっち見てると、そのうち変なガキだなと思ったわけですね。こっち見てニコッて笑って。伊東絹子さんより１㎝でも低いってのはなんとなく沽券にかかわる感じがするんですね。その話をしたら三島さんは全然反応しませんでした。俺はそんなことには興味がないって。でも興味は絶対にある。だからお嫁さんの条件に、自分より背が低い女性なんて言ってる。

一九六〇年代の文壇

私が一九六一年、昭和三十六年に河出書房新社に入ったときに、三島由紀夫のいた文壇にはどういう作家がいたのか。このプリントはね、文学史年表じゃないんです。谷崎潤一郎から石原、大江、開高まで、これは僕が入った昭和三十六年に、この方々が、非常に重要な作品を書いていた。三島さんが見ている目の前で。谷崎潤一郎は、「鍵」とか「瘋癲老人日記」を書いて国会で物議を醸した、そういうまだ現役作家の時代なんです。三島さんはその中で仕事をしてる。だからいかにも緊張感をもって一つの作品を書きます。この中では志賀直哉だけですね、もう作品を書かなくなってるのは。谷崎さんにしても、正宗白鳥、武者小路も里見弴もそうだし、野上弥生子さんなんかも九十九になっても作品を書かれた方ですけど。宇野浩二以下の代表的な作品、室生犀星なら「杏っ子」、川端康成は「眠れる美女」を書いてる。それからその下にある椎名麟三以下の戦後派ってのは、代表的な作品はもうすべてこの時代で、島尾敏雄の「死の棘」、それから大岡さんにしても埴谷さんにしても武田泰淳、それからその下の小島信夫なんてのは我々がいたときの文壇の最前列にいた作家で、小島信夫「抱擁家族」とか、不思議な作品が次々と現れるんです。それが同時多発的に出てくる。

それからそれを見ている批評家っていうのがいた。小林秀雄は当時は文芸時評的なことから離れて、そうじゃない道を歩まれましたけど。河上徹太郎さんはやっぱり現役でいらしたし、なんといっても平野謙、山本健吉、中村光夫というような人たちが文芸批評家としてがっちり固めてるし、そこへ江藤淳なんてのも出てくるわけですね。そういう文壇というものがあって、書いた作品の手ごたえってのがはっきりしていました。

例えば今、三島由紀夫さんが「鏡子の家」を書いて、誰からも何の反応もなくても、あんながっかりはしなかったと思うんです。今はそういう時代になってしまった。しかし六〇年代はそうではないんです。何といっても、三島さんには「金閣寺」のあの絶賛の恍惚感があったでしょう。三十代はじめの若者ですから、そういう絶頂感はもっていたと思います。ですから「鏡子の家」の不評は痛烈だった。「鏡子の家」はその後、再評価される機運がずいぶん出てきましたけれども。あれは三島さんの一つの代表作でもある作品だと僕は思います。そういうふうに文壇そのものが、左翼系の文芸批評家も、三島さんが何を書くかってことが注目の的なわけですね。しかし、文壇が今みたいにもう全くやわになってなくなってしまうと、実際にものを書いてらっしゃる方の手応えのなさっていうのは、ものを書いてる文筆業者にお気の毒な時代はないと思いますね。何の反応もない。先輩がどういってくれてるのか、後輩がどう言ってるのかもわからないし、仲間がどう言ってるかっていうのもよくわからない。そもそも、そういう「仲間」意識が希薄です。

三島由紀夫っていうのは、私が見てるかぎり、こういう昭和三十六年、そのまえの数年間の、「金閣寺」を頂点とする数年間があって、これ以降の、また死までの何年間かがある。で、私が非常に残念だなと思うのは、当時私がまだ二十五歳で学校を出たばかりで、まだ何にもわかっちゃいない。編集者になるための特別な訓練なんてありませんから。あるといえばはったりだけでしょう。俺は人より物を読んでるぞみたいな。私ははったりみたいなものだけは人後に落ちないという自信がありまして。作家も河出の編集者だというんで聞いてくれて、感想を求めたわけでもないのに、この作品はあんまり面白くないだの何だのって言って、何だこいつはと三島さんははじめ思ったらしい。のちになって中央公論社の著名な編集者から、三島さんがやや閉口気味にあなたのことを賞めていましたよ、うちにもあなたのような意気のいい編集者がいるといいんですがね、と微苦笑気味に言われた。何といっても私は若過ぎた。あと五年、二十八歳の私が三島さんと初めて会っていたとしたら私の観察はもっとちがったものになっていたと思います。

「サド侯爵夫人」の幕間

河出書房という会社には、坂本一亀という編集者がおりました。これは音楽家の、亡くなられた坂本龍一の親父ですね。坂本さんは私の師匠の一人です。これが大正の人で兵隊帰りなんです。大正の七年かな八年かな、三島さんよりちょっと上です。河出はあの「仮面の告白」を出したところですから。作家っていうのは、自分の第一作品集を出してくれた本屋に対する感謝の思いが終生あるんですね。自分が売れるようになってから来た本屋とは違う扱いをしてくれるものなんです。僕なんかそういう意味でいうと、坂本一亀の使いのかたちで行って、私が言ってることは、半分坂本一亀が言ってることだぞみたいにちょっと匂わせたりしてね。それで三十九年頃から三島さんのお宅へ通いだす。その頃「サド侯爵夫人」を担当したわけです。

「サド侯爵夫人」は先ほどお話があったように、紀伊國屋ホールでやったんですけども、あの紀伊國屋ホールで本のサイン会をやりたいって、三島さん自分で言い出したんですよ。スターになる人ってのは、必ず錯誤をする人でもある、勘違いをする人でもあるんです。映画スターじゃないんだから、あんなところで幕間の十五分で本を売っても、たかだか十冊か十五冊でしょ。河出書房の当時忙しい人間、営業の人が何人か行かなくちゃいけないし、こっちも行かなくちゃいけないし、そんなの嫌だなって思ったけど、サイン会やりたいっていうんですよ。それでやってみると、案の定ほとんど売れない。ご自分でサインして渡すんだけどね。十五分で十二、三冊しか売れなかった。十一月の二十何日にやっと終わって幕になって、それでその翌々月締め切りの「風景」っていう――舟橋聖一がやってた「風景」、吉行淳之介なんかが編集してた紀伊國屋から出てた雑誌で――とってもいい雑誌です。その雑誌の日記って欄に書いてんですよね。「河出の編集者がこんなこと言ってきてサイン会をやったけど、本が十二、三冊しか売れなかった。大体そんなとこで売って、バカ面してサインを求めに来る人を待ってる人。こんな哀れなことはない」みたいに。カンカンに怒って書いてるんですよ。

手持ち無沙汰だった時に、ちょうどいい塩梅にそこに山本健吉さんがいらして。「やあ三島君、今度の芝居はいいね、もっと君はどんどん芝居を書きなさいよ」って。山本健吉さんて芝居に詳しい人なんですよね。田中千禾夫なんかの親友ですからね。だから昔から芝居はよく見てるんです。そう言ったら、三島さんがこうやって右手を黙って出したんですよ。何かなって思ったら要するに、お金をくださいってことなんです。芝居は書きますけど、これはお金にはなりません。芝居を書けというなら金をくれって。そういう意味で右手を出して。やっぱり三島さんはそういう当意即妙さっていうのかな。そこで大笑いになって、なんとなく不機嫌は解けたと思ったら、その晩家に帰って、藤田の野郎ってそういう原稿を書いて、紀伊國屋の「風景」に送ってるんですよね。

単行本『英霊の聲』

三島さんのうちに行ってみるとわかるんですがね、当時は固定電話で、子機なんてものはない時代に、こういうボタンをやたらと押す子機が置いてあるんですよ。瑤子夫人は一切外線に出ない人で、女中さんが出るんですが、あの女性の話を聞いたらほんとに三島さんの非常に意外な面ってのは、それこそ多面鏡のようにいろいろあった面白い話が聞けただろうなと思う。一言も話さないで、もう亡くなられたと思います。おそらく僕より年上でしたから。とてもいい方でした。で、その人が出る。すると三島さんが出るんです。僕が行くのは大体一時から二時の間なんですよね。河出の小僧が来たっていうんで、実に向こうはフランクなもんで、パジャマだったり、素っ裸の上にバスタオル一枚巻いただけで、ここが毛むくじゃらで出てきたりして、人の前でパン食いだしたりね。で、「君、俺二時ちょっと過ぎに出掛けなくちゃいけないから飯食わしてくれって」。

それで『英霊の聲』。あの人の家には、しょっちゅう電話がかかってくるんです。はい、わかりました。お引き受けします。それは何月何日までに何枚書けばよござんすかみたいな、あの人そういうふうに言うんだけど、そういう返事はまず聞いたことないですね。「いや、そういう原稿は気が向きませんのでお断りします」、ガチャン。そればっかり。あの当時は、書きたいものがあると作家から電話してくることがありました、編集者に。こういうものを書くんで、「文藝」の編集者に言っておいてくれ、空けといてくれとか。あるいは「文藝」の編集長に直接今度こういうものを書く、これからホテルに缶詰めになって一週間で書くからという調子です。約束を取り付けるのは大変ですけども、約束したら絶対に書く。それから自分で書きたい原稿を売り込むっていうことをする。永井荷風ですね。永井荷風って人は注文原稿を一生で一枚も書いたことがないそうですが、ともかく、自分で自費出版しちゃった本を新聞に連載で載せちゃうんですからね。「濹東綺譚」。三島さんと、晩年の丸谷才一もそうでしたね。頼まれ原稿ってのはほとんどお断り。でもこれは「売れてる」作家の特権で、「売れない」作家が真似しようものなら、たちまち「干される」こと必定でしょう。

『英霊の聲』の本のことを言ったら、「俺は、二・二六事件三部作みたいな、そういうものをこれ以上書くつもりはありません」と。こういう形で本にしてくれないかって。「若人よ蘇れ」、それから「英霊の聲」、「憂国」、「十日の菊」、それから「林房雄論」。これなんかよくわからないんですよ、「林房雄論」。こんな厚い本ですよ。じゃあわかりましたと。承りましたけども、「林房雄論」は入れないで、「若人よ蘇れ」どうするかって言うからちょっと坂本の意見も聞きますって。それで坂本さんと相談するんです。

坂本一亀って人はもともとは雑誌編集者になりたかった人なんです。文芸編集者の花形っていうのは、雑誌編集者ですから。そこで色々やりたいって思ったけれども、自分が「文藝」って雑誌を一年やってみて大惨敗しちゃって。それで出版やらざるを得なくなったんですけど、あらゆる媒体で書き下ろしなんてことをやりたくて仕方のない人なわけですよ。だから三島さんに百枚書き下ろしを書いてもらえみたいな、自分が頼むんじゃないもんだから無茶なことを言うんです。それで三島さんとこ行って、「英霊の聲」「憂国」「十日の菊」の三本でやります。その代わりに、天皇制とか国体論について、三島さんがどういうふうにお考えになってるかっていうのを、エッセイの形で書いてくれないかって言ったんですよね。そしたら三島さんは、「国体論って……うーん。わかりました」と。それでも自分で売り込んだ企画だから、ものすごく速いんです。僕は坂本一亀の言った半分の五十枚書いてくれと言ったんですが。

でも五十枚原稿書くって大変だよなあと思ったら、どっかホテルじゃなく家で書いた様子でね。一週間で書きましたね。一週間で三十何枚の原稿を書いた。この原稿は残念ながら三島文学館にもないそうです。三島さんの天皇制っていうのは、神としてではない天皇制、人間としての天皇制が西欧風の君主天皇とは違う、日本固有の美的天皇っていうのかな。三島さんの話聞いてるだけでは、僕にはよくわからないなって話をよくしたんです。で、それを割合に噛み砕いて書いてくださった。あれは三島さん自身が自分自身の内面ってものを飾らないで書いた、本当に優れたエッセイだと思うんです。「十日の菊」は、私が非常に好きな戯曲です。

　それから一番最後の著作、対談集『源泉の感情』という本を作りました。三島由紀夫の対談集ってのはそれまでなかったんです。三島さんはそれまでいろんな対談をやってました。小林秀雄と「金閣寺」をめぐってこっぴどくやられたとき、痛快な感じっていうかな、そのことを話す三島さんってのは、やっぱり見たことがないくらい、やられてすごく爽快だったんでしょうね。あんたのは小説じゃないよって言われて全否定されたわけです。あれは詩だって。あんたの書いてるのは抒情詩だって。小説ってものは、金閣を焼いたところから始まるのが小説じゃないか。君のあれは抒情詩だよって言われて。三島さん、気分がもうすっきり昂揚しちゃって喜んでいます。

　最後は、やっぱり、天皇制をめぐって吉本隆明と対談したいっておっしゃったんです。これはついに実現しませんでした。『共同幻想論』をやった編集者の寺田博は、吉本さんの信頼が厚かった。彼に話して「文藝」でできないかって計画したのですが、吉本さんが応じなかった。

河出書房新社の倒産

　昭和四十三年に河出が倒産するんです。倒産するということは株式会社の組織がなくなるっていうことなんです。代表取締役も、役員もいないんですよ。裁判所が送り込んだ進駐軍が来るわけですよ。当時河出は、岩波書店とか、新潮社とか文春より社員がいっぱいいたんですよ。六百五十人いたんです。

　僕は役員じゃありませんでしたけど、社員の、社歴でいうと古い方にいつのまにかなっていた。年はいくつだったかな、三十二、三かな。社歴は十年しかないのに、旧役員の部長がいないから、対外的に、著者から言ってくることについては、僕が応対せざるを得ないんです。応対するといっても、権限はない。ある日、三島さんの代理人だと称するロビン・ファニチャーっていう会社の、東大法学部出の嫌な野郎でしてね、ほんとにいかにも東大、東大法学部っていう。あ、ごめんなさい、法学部の方がいたら。いかにも東大法学部っていう風を吹かした嫌な男でしてね。この男、苦茶金があるときに、有望な作家に金を貸していいと若社長の河出朋久さんがおっしゃるんで。それでそのときの有望な新鋭作家三人に無利子で融資したんです。それが二百万、それを種金にしてあのマンション買ったんですよね、一人の人が。二千万って金は大変な金ですよ。結局そのことがあって、三島さんとは一年間「河出とは絶交だ」ってなったんです。

せっかちな三島由紀夫

三島さん、僕が行くと、いつも快活に人の目を見て、馬鹿笑いしながら話して、呵々大笑してタバコを吸い、一時として黙ってない人なんです。のべつ幕なしにしゃべってる。それで大変なせっかちなんです。あの人は、さっき言った「サド侯爵夫人」を、芝居をやるから翌月に本を出してくれとか、「英霊の聲」を来月の末までに本にしてくれないかって言います。来月の末に何か行事でもあるのかと思ったんですよね。そしたらそうじゃない。ただのせっかちなんです。そういうことを可能にさせる。あの人、ずっとこういうやり方で通してきたんですね。

例えば、このプリントにある作品、三十年代の著作ですがね、いわゆるエンターテイメントって言われる、「お嬢さん」とかね、「愛の疾走」とか「肉体の学校」とか、こういうもの以外は、純文芸雑誌、総合誌に載った本で、これ河出の債権者でもあるんです。それで、三島さんに、私が全額とってきますよとか言って。当時のお金で一千何百万です。今の一千何百万じゃありませんよ。

これはね、三島さんにとってショックだったんです。というのは、ちょうどそのときに、楯の会の衣裳だとか帽子だとかの代金、楯の会の人たちの食事代の支払いがあったんです。僕が最後に下田のホテル行ったときに、あの隊員の人、六、七人が白紋付の袴履いて、かっこいい男でしたね。それでお金は、河出としたら裁判所に押さえられちゃってるわけですから自由に出せないわけです。ということを言いに行くのも、三十二歳のガキである僕以外に言いに行く人がいない。編集部長はもう、旧役員ですから。行くとまあ、三島さんも、全額返済されるとは思わないにしても、いくぶんかは取れるんだと思ってあてになさってたんでしょうね。おそらく西武の堤清二さんに払う制服代の期限が、迫ってたのかもしれません。堤さんに何かの会で会ったときにその話したら、何月頃がちょうど第何回目かの支払いのときでしたねとおっしゃってました。あのお金全部ってのはどのくらいになるのか、犬塚さん計算したことありません?

——犬塚潔：「大体二千万です」

二千万? 当時の二千万って金はかなりの額です。ある総理大臣が住んでた二番町のマンション、あれ二千万です。あれを買う人に金を出したことあるんですよ。河出に無茶は連載完結の月か翌月の発刊なんです。たとえば「宴のあと」ですと、中央公論の一月から十月までに連載して、十一月に本になってるわけです。こんなことありえないですよ、普通の作家では。僕は「豊饒の海」も怪しいと思ってるのは、あれは本当はもう全部ほとんど書いてあったんじゃないかなと。というのはね、超流行作家にはいるんです。新聞小説の名手、石川達三さんや石坂洋次郎。こういう人たちはね、もう第一回の原稿を渡したら、全部できちゃってる。三島さんもおそらく原稿は全部できてたと思う。だからこの「宴のあと」の十月号完結っていうのは、九月の頭に雑誌が出るわけですよね、そうすると、それからもう手入れもなんにもしませんからね。場合によってはあの人ゲラも見ないんです。君に任せるとは言わない。それで本ができると、ほんとにもうこの本は誤植だらけで、装幀は品悪いし最低だよってけなすんです。そういう人なんです。悪口ばっかり。よく他社の作った本を、我々に配るんです。でそのときにね、ったくこの本最低だよな、大体この帯の色、藤田くんどう思う、このどうしようもない色って。この本文の文章の扱いが、長い文章と短い文章で同じ扱いにして、長短のことなどのアクセントをちっとも編集してないって。編集者ってこういうので務まるのかって。なんていうことを編集者である私に向かって言ってる。これはきっと僕の悪口も、勝手なこと言いやがるってさんざん言ってらしたかもしれませんね。

最後の年の夏

その河出事件があって、一年間の空白があって、埴谷雄高の作品集のことだったかな。三島さんに帯を書いてもらおうとしたんです。これなら食いついてくると思って。電話したら、やあって言って。一年間絶交だって言ってたくせに、馬鹿に上機嫌なんですよね。それで「ああ埴谷さんの推薦文なら是非書きましょう」ってね。そのときに、じゃあこういう対談集出したいんですけど新たに、って言ったら「ああいいですよ」っていうんで、そこで再会。そのときに『カラー版日本文学全集』ってのが出て、それで三島さん下田に行ってるんで、ちょうど石野泰造さんってのが担当だったんですけど——彼、今陶芸家として著名な方です。備前焼の大家。それが三島狂いでしてね。——彼がカメラマンを連れて、下田へ行くっていうんで、俺も行ってみようかなって。三島さんに呼ばれたわけでも何にもないです。それで僕が行ったら三島さんね、きょとんとした顔で、おおおって驚いてました。そこに奥さんのお友達、それから楯の会の学生、総勢二十人近くかな。ホテルのプールは、ほとんど三島家の人たちが泳いでるんです。と言っても三島さん、あの人泳げなかったんですよね。おそらく。泳いだの見たことありませんから。なんか変な浮き輪のでかいのみたいのに乗っちゃあ足をバタバタさせて。手でバタバタやって、赤ん坊みたいな幼稚園児みたいなことやってましたから。そこで三島さん上がってきて、プールで話してたら、ちょうどこう目と目が合った。で、ああ三島さんの鍛えた肉体っていうのは、人工的にね作ったりした肉体ってのは、ちょっと油断するとこんなに哀れになるのかと思うくらい、肌の色艶がない。一度膨らました筋肉が縮んじゃったんでしょ。なんかこう、艶がないですよね。

こちらは、何といったってまだ三十三か三十四ですからね。ピチピチですよね。私は、大学時代にちょっとボクシングやってたことがあるんです。だから腹筋なんかがこうバシッとしてたんです。

そのときに、三島さんについて何か変な予感を感じるとか、そんなことは全くありませんでした。ただ、三島さんが珍しく弱気になっていたようでした。撮影を終えてカメラマンと石野君がいなくなったときに、「今の文壇というのは、もう僕はちょっと付き合ってられない」。要するに、丹羽、舟橋時代だっていうんです。そういう文壇っていうものが、いかに貧寒としたものか。僕には耐えられないって。

やっぱりノーベル文学賞を落としたのは、ああは言ってるけど本当に残念だったんでしょうね。ハマーショルドの、推薦文を書かざるを得なかったってのは。ハマーショルドの、これは初めて聞いたんですけど、ハマーショルドの死んだのはすごく大きいんだって言ってましたね。ハマーショルドっていうのは国連の事務総長で、全世界に影響力のある人でしたよね。俺の目はなくなったんだってね。ハマーショルドの亡くなったっていうことで、なんだかぐちぐちねえ、愚痴っぽいこと延々と話してるんですよ。吉行の今度の作品、あれは何だかなあ、こういうところがあるね、全然だめだとかね。

三島さんが持っていたああいうオーラのある人間っていうのはもういませんね。川端さんとかね、芥川比呂志さんとかのオーラともちょっと違うんです。輝くようなスターっていうのかな。国際会議なんかやると、京都の桑原武夫さんがおっしゃってました。「昨日国際会議場で会議があって、いろんな人が来てあれが誰でこれが誰でって有名な方がいるけど僕は知らない。だけど最後に三島由紀夫を紹介する。そしたらやっぱり三島由紀夫って聞いたときのみんなのオオっていうような驚き。ああいう、やっぱり三島っていう男の、あのオーラにはかないまへんなあ」ってなことを言ってました。オーラのある人っていうのは、あれ以降、もちろん文士にはいなくなりましたね。

だけど、とっても人間的で、なんだかおっちょこちょいで、それでせっかちで、もちろん小説家ですから自己中だよね。てめえのことしか考えてない。でも、この僕なんかの場合には、若いときの本の出た出版社の後輩編集者だっていうことで、いろいろと引き上げてくださった。それがいろんな意味で、現にたとえばこういうふうに呼んでいただいて、話をさせていただけるというのも三島さんのおかげでしょう。

ミシマ万華鏡

山中剛史

小劇場演劇で三島自身を物語化することは、昨今見かけるようになってきた傾向のように思う。昨年の京都公演を経て先日東京で再演された独り芝居「三島由紀夫 招魂の賦」（本多菊雄・坂井勝生台本、川口典成演出）などはまさにその典型といっていい。

初演は二年前の十一月。初演、再演も会場である大東会館へ赴き観劇した。内容はどういうものかといえば、「花ざかりの森」出版から自死にいたるまでを独り芝居として、基本的には諸々のエッセイや対談での発言などをもとに構成したものである。例えば実物のバーベルを用いるボディビルのシーンなどは俳優の筋骨隆々たる肉体という衣裳は説得力抜群だったりするのだが、観る側がある程度三島由紀夫に通じていると、その台詞を耳にして「これはあのエッセイだな」「今のはあのエピソードのことだ」と記憶が想起されてくる。そして文言の記憶とともに心中に浮かび上がってくる三島の写真やら音声やらが眼の前で演技している俳優に投影されることで、観客それぞれが抱く三島のイメージが増幅され、そこにふしぎなリアリティが滲み出すような塩梅なのである。もちろん、自分の三島イメージと舞台上のそれとに生じる齟齬から、むしろ当然と思い込んでいた自分の三島イメージがイメージに過ぎないと炙り出されるような側面もあり、舞台そのものの面白さとは別に、改めて三島由紀夫の偶像性について考えさせられた舞台であった。

文庫本読者による、三島由紀夫作品のエンターテインメント性をめぐる小考察

杉山欣也

1

新潮文庫の三島由紀夫作品ラインナップに不満があった。卒業論文で三島に取り組もうかとぼんやり考えていた時期だから一九九〇年頃のことだ。大学の演習で『花ざかりの森・憂国』が取り上げられたことをきっかけに、お世辞にもお洒落とは言えない白地にオレンジのカバーの新潮文庫を少しずつ読み進めた。何が不満と言って、収録作品が難しいのだ。プロットが入り組んでいて、思弁的な作品が多い。なにより語彙力が試される。これで「スター」と呼ばれたベストセラー作家であったことが信じられなかった。エンターテインメント作家としての定評は三島自身のタレント性によるものかと思われた。己の読解力を棚に上げた逆うらみである。

そのうち、ちくま文庫から『三島由紀夫レター教室』が刊行された（一九九一年一二月）。ポップなカバーの本の中には、晦渋な思想と漢和辞書必須の語彙で私を苦しめた三島と異なり、親しみやすく、それでいて三島らしさもある作品世界が広がっていた。大学院に進学して旧版『三島由紀夫全集』を買うと、その厳しい装丁の中身に「レター教室」同様の読みやすく親しみやすい作品がいくつもあることに驚いた。にもかかわらず大学院で三島由紀夫の学習院時代を研究対象に選んだのは旧全集の威厳に打ち負かされたためと言えば文章として収まりがいいかもしれないが、それはまた別の理由である。

学習院時代の三島研究に区切りをつけた後で頼りにしたのはこれらいわば非・新潮文庫系の三島作品であった。地方の大学に就職した後である。新しい環境に精神が対応できず、たとえば『豊饒の海』全巻に取り組むような研究はできない気がした。そんな時にこれらを読み、そのエンターテインメント性について、頭の片隅で考える癖が付いた。エンターテインメント系小説論で研究発表し、論文も発表できた[1]。

その研究で私は「潮騒」「永すぎた春」「愛の疾走」「夜会服」を取り上げた。前二作は新潮文庫収録作である。しかし私にはちくま文庫収録の「愛の疾走」が「潮騒」の、集英社

文庫収録の「夜会服[2]」が「永すぎた春」の、それぞれ自己引用作品であるように思われた。それぞれの作品は類似するプロットや思想を盛り込みつつ、時代の推移とそれに伴う読者層の意識の変化、あるいは掲載媒体に応じた書き分けによって自己引用を行なっていると考えたのである。ロマンブックス版『愛の疾走』（一九六四年八月、講談社）の裏表紙に「『潮騒』の作者が再び放つ青春謳歌の大ロマン」とあることを知り[3]、安心した。

これはいかにも大雑把な理解であり、生前の三島が収録を了承した新潮文庫の二作品と、「愛の疾走」「夜会服」とを分かつ差異があるのだろうかと自問した。

近代文学作品がメディア上を流通する商品である以上、掲載誌の存在は無視できない。「幸福って、素直に、ありがたく、胸いっぱいにもらっていいものなのね」と締めくくられる「永すぎた春」は『婦人倶楽部』掲載である。良妻賢母主義や女性のみに課される性的な純潔という雑誌の主張が投影されていることは武内佳代氏[4]らが明らかにしている通りだ。しかし、恋愛の成就における男性の優位を語って終わる「潮騒」が書き下ろしでありながら大衆的な支持を得たことを考えると、掲載誌のみに留まらない何かがあるようにも思われる。

ならば、生前より三島と関係の深い新潮文庫に収録されている小説こそが、いわば三島公認の純文学的作品であり、古くは集英社文庫、近年ではちくま文庫や角川文庫など、没後文庫化されたような作品はある種の割り切りをもって書かれたエンターテインメント系である、と作者による選別を尺度として上下に切り分けてみてはどうか。ところがそうすると「永すぎた春」や「美徳のよろめき」（ともに新潮文庫版は一九六〇年刊行）を純文学作品と呼ぶことがためらわれる。「美徳のよろめき」は『群像』が初出なので、掲載誌による分類も難しい。

エンターテインメント性とは曖昧な概念であり、「仮面の告白」や『豊饒の海』にだってエンタメ性はある。かつて私を悩ませた作品もそれなりのヒット作だからこそ文庫化されているのだ。三島自身が「『憂国』を全く春本として読み、一晩眠れなかったと告白した」「銀座のバアのマダム」の存在を記しているように[5]、「憂国」でさえそのような読み方が可能であり、一応は作者もそれを許容しているのだ。ならば『豊饒の海』の結末をエンターテインメント性とみなすことも可能である。「何もないところへ来てしまった」という一文が際立つのは、長期的な構想として企画されていたからだろう。発表当時ならばともかく[6]、没後五十数年経ってみれば、文末の擱筆期日に三島が自死したことよりも叙述トリックの壮大さに読者は驚かされるのだ。

自らの思想を存分に発揮することが作家の重要な資質で

あるならば、それを物語という乗り物に載せて運ぶこともまた重要な資質だろう。そう考えると、エンターテインメントとはバランスの問題であり、純文学との対立概念とは言えなくなる。

『夜会服』（一九七七年一一月、集英社文庫）における篠田一士氏の「解説」は、三島文学の特質全般を「エンターテインメント」と呼ぶことで私の固い頭を解きほぐしてくれた文章である。

　作者みずから、この種の小説をエンターテインメントとよび、昭和三十一年の『永すぎた春』以来、同系の小説、たとえば『お嬢さん』とか、『肉体の学校』とか、あるいは、『複雑な彼』とか、いろいろの作品を書いていて、これらは現行の全集にもすべて収録されている。（中略）どんなにマジメな小説でも、それが小説として書かれる以上、娯楽性、つまり、エンターテインメントの要素がなければならないというのは、いまや、小説を書く方にも、また、小説を読む方にも、もはや疑う余地もない自明の理になってきた。これは、おどろくべき変化ではないか。

　だから、三島由紀夫のように、つとに、この小説創造における自明の理を承知し、いかなる作品にも、これを堂々と実行してきた作家の場合、『夜会服』のような作品だけを、ことさらに、「エンターテインメント」と呼ぶ必要もない。

篠田氏が指摘しているのは、三島の作品においてエンターテインメント性とはさじ加減によって変わる味わいの意であり、「純文学」「大衆文学」といったそれまでの文壇的な図式とは別の次元で達成されているということだろう。

2

そこで「純文学」と「大衆文学」という二項対立と三島の関係を、篠田氏の記す「昭和三十一年」（一九五六年）前後の文脈で捉え直してみたい。三島はこの頃、作家生活の基盤としての原稿料の問題を何度か文章にしている。「きのうけふ」（一九五七年一月〜六月『朝日新聞』）では、

　この間、或る出版社の人と話していて、どうして日本の作家は、こうセカセカと仕事をしていなければならず、外国のように、二、三年に大作を一冊づつ書いて、あとは黙っているという生活ができないのかを、論じ合うにいたった。（中略）そこで、かりに、一作家が、実験的に、書き下ろし長編だけで生活してゆくとして、それを書いているあいだの生活をどうするかというと、今まで出した本の印税にたよらない限り、月々の雑誌の原稿料にたよらなければならぬ。

と述べ、「裸体と衣裳」（一九五八年四月〜九月『新潮』）では、

　長い書き下ろし小説を書くことは、前からの望み

だったが、これは私の西洋かぶれから来たもので、西洋の小説家たちが二三年に一作を発表するのが慣例であるが、彼等より経済的に恵まれている日本の小説家にそれができないわけはなく、事実、やってみればできるのである。が、西洋の小説家たちの予想しない困難は、日本のせわしないジャーナリズムの中で生きながら、一方でそういう仕事をすることの精神的負担であり、こんな精神的負担は、ともすると苦労を誇張させ、必要以上に私の肩を怒らせることになった。

と歩を進めている。二〜三年に一冊、書き下ろしの長編小説を書いて、その印税によって生活を成り立たせるようなライフスタイル。それは憧れの生活にとどまり、三島といえど書斎派型の作家生活を手に入れることはできなかった。同時に複数の連載を抱え、「せわしないジャーナリズム」の渦中にあったからこそ「スター」の称号は与えられたのだ。

生活基盤とジャーナリズムの問題を三島が文章化しはじめた時期が、エンターテインメント性の高い作品で広範な読者を獲得した時期に重なるのは偶然ではないだろう。それは五十五年体制の確立と戦後復興の踊り場を経て、高度経済成長へと進む日本社会の反映であると同時に、既成文壇の崩壊が叫ばれ、「純文学」「大衆文学」の垣根が取り払われた時期の現象でもある。

三島は「せわしないジャーナリズム」と記している。一九五六年以降の数年は作家のよって立つ基盤が「文壇」から「ジャーナリズム」へ移行したという認識が広く共有された時期でもあった。

ここで十返肇の評論「文壇の崩壊」（一九五六年一二月『中央公論』）を取り上げる。文壇やメディアといった文学を成立させる場の内実を熟知し、批判的な視点で記した評論家である[7]。

「文壇の崩壊」は「文壇というものは無くなった―それが今年の「文壇」回顧として私に最も痛切に感じられた印象である。伊藤整のいわゆる逃亡奴隷と仮面紳士によって構成された文壇」は「完全にジャーナリズムの中に崩壊した。」と語り出される。次に「いま私たちが漠然と文壇なる言葉であらわしているのはジャーナリズムのうちの文学的方面であるにすぎ」ず、ジャーナリズムが「私たちの「生活の実体」となってきたのである。」と一九五六年の状況を概括する。そして、すでにその実体を失っていた文壇の崩壊は、「太陽の季節」ブームをもって完全に「文壇がジャーナリズムの中へ溶解したことによって完遂されたが、それは商業主義の勝利であるとともに、またギルド的束縛からの解放でもあった。」と分析する。先輩作家の門を叩いて文芸雑誌への投稿をお願いするような文壇の秩序はもはや見当たらず、ジャーナリズムが「売れる」と判断を下した作家がデビューする状況が到来し、「駄目なものは駄目なのだという空気の明朗さ」が感じられる時代になった。

それは喜ぶべきことだが、文学に対する愛情が失われる結果となることを心配する、という趣旨である。文学がマイナーな娯楽に後退しつつある現在では想像しづらい内容だが、文学が人間関係も作品主題も大正期以来の文壇ギルドから独立し、ジャーナリズムの主要コンテンツに上り詰めた時代の到来を告げる象徴的な評論である。

　この問題は、大宅壮一「文壇ギルドの解体期」（一九二六年十二月『新潮』）にみるように、古くより論じられてもいる。この文脈に横たわっているのは「純文学」と「大衆文学」との二項対立である。大宅が右の評論を書いた背景には、『キング』など大衆娯楽雑誌の流行によって、吉川英治ら大衆文学で商業的成功を収める作家たちが現れ、そうした作家たちを二流作家とみなす文壇ギルドとの拮抗がある。その戦況報告が、多くの文壇崩壊論の文脈である。

　三島は、佐藤春夫や川端康成といった文壇の上位に立つ作家を師として仰ぎながら、文壇ギルドの要請する私小説とは相容れない文学観を育んできた作家である。(8) 十返は、自分が数年前に論争した際に論敵の日高六郎が「純文学」と「大衆文学」という図式を有効なものとしていたために議論が噛み合わなかったが、現在ではもうその図式も無効になったという趣旨のことを「文壇の崩壊」で述べている。同様に、数年で大きく変わった状況を三島も肌で感じ取り、処世術に反映させていたはずである。

　対談「新人の季節」（一九五六年四月、『文學界』）で「小説のほかに、なにかまだやりそうだなという力を感じ」「妙な小説家の意識というようなものを感じない気がした」という石原に対して三島は「あなたの例と僕の例は一言にしていえば逆だとおもった。僕は小説家の意識ははじめ強かった。それより若いときもっと強かった。つまり、自分を小説家として規定して、ほかに生きがいがないとおもった。結局そういう考えがなくなったのはトーマス・マンを読んでから」だと力説する。この噛み合わない感じは、二人の数年の作家歴の差によるものだろう。しかし結果的に三島は石原を自身の並走者と認め、憧れのトーマス・マン路線を封印して、ジャーナリズムの一翼を担うようになる。

　こうした状況を本論の趣旨に当てはめれば、三島はこの頃、エンターテインメント性というパラメーターを自覚的に導入し操作することで時代に対応する方法を編み出し、私小説と大衆小説の二項対立を止揚したと言える。藤田三男氏(9)は「三島由紀夫は二つのジャンル(10)を峻別した作家である。あくまで自分の文学の第一義は「純文学」であり、芸術の名に値するものは「純文学」である、という大正期以来の純文学崇拝にがんじがらめになっていた伝統的作家である。」と述べている。一面では正しいが、三島が取った行動とは相違する。

三島はエンターテインメント系作品においてこそ方法論的な実験を行なっているという指摘がある。鹿島茂氏は『幸福号出帆』（一九九六年七月、ちくま文庫）の解説で、「物語形式（フォルム）が当時の通俗小説にしては、きわめてきっちりと作られている」と述べる。バルザック「ゴリオ爺さん」「従姉ベット」、スタンダール「パルムの僧院」、モーパッサン「ベラミ」の影響から「西洋の近代小説から学んだ小説のさまざまな技法あるいは小説理念そのものを密かに実験し、そこで有効性を確認した技法や理念を、次に準備している純文学作品の中で活用していた」と指摘し、「ではその作品とはなにか。いうまでもなく『鏡子の家』である。実際、『幸福号出帆』は、とりわけ、さきほど指摘したようなフランス小説から借りた構造部分において、『鏡子の家』の方法を用意している」と論じる。

　純文学を水で薄めた二次創作ではなく、評論家の目の届かないところで書かれた実験作と言うこの指摘は、三島のエンターテインメント系作品研究に新たな視野を与える。

　以上から、三島文学のエンターテインメント性を次のようにまとめることができる。そのエンターテインメント性とは「大衆小説」と同義ではなく、事実上無効となった文壇から決別し、興隆期のジャーナリズムに身を処すため利用されるパラメーターであること。場合によっては創作理論の実験場ともなる自由な場所であったこと。そして三島による試みは「純文学」と「大衆文学」の垣根を取り払う一助ともなったこと。

　文庫本読者としては、市川真人氏の「三島由紀夫の幅広い作風もまた、すべての小説がエンターテインメントであると示すとともに、読みながらあるいは読み終えたあと作品を端緒にさまざまな事象が真理について想像力と思考を膨らませるならば、すべての小説は思弁的でもありうるのだ」という『お嬢さん』解説(11)を、こうした経緯を踏まえた篠田氏の同作解説の発展継承として首肯したい。

　また、こうした理解は「純文学」的要素が高いとされる一部短編小説にも新たな解釈の可能性を拓くだろう。たとえば「憂国」。武山が自死したあとで彼の施錠した窓の鍵をあえて開錠して死に臨む妻に、武山への裏切りというシニカルな恋愛小説の要素を読みうる。あるいは「蘭陵王」。隊員Sが「もしあなたの考える敵と自分の考える敵とが違っているとわかったら、そのときは戦わない」と告げるに至る過程、つまりSは「蘭陵王」を吹いている最中に何を見たのか、というミステリー、あるいはホラー的な読み取りから、「私」は何に取り残されたのか、考えられる。さらに言えば、戦中の作品「中世に於ける一殺人常習者の遺せる哲学的日記の抜粋」の「□月□日」という期日表記や現代文記述から、中世のある一年を示すものではなく、「卒塔婆小町」のヒロインのように現代まで生き続ける殺人者の日記といった解釈さえ可能かもしれない。

　三島短編のエンターテインメント性は「美神」や「月澹荘綺譚」ばかりではなく、純文学的とされる作品の中にもスパイスのようにまぶされている。かつて『花ざかりの森・憂国』で受講した私はいま『復讐　三島由紀夫×ミステリ』（河出文庫）を用いて授業している。この本で三島作品に入門した学生は、今後どのように三島を読み進めるだろうか。

3

　最後に、三島がそのエンターテインメント性を用いて、どのようなメッセージを読者に提供したのか、という問題を考えたい。ここでは新潮文庫収録の「永すぎた春」「美徳のよろめき」を取り上げる。「永すぎた春」[12]については手短ながらすでに論じたことがあるのでくり返しになるが、そこに「美徳のよろめき」を接続させてみたい。

　「美徳のよろめき」は『妊娠小説』（一九九六年六月、筑摩書房）における斎藤美奈子氏の指摘以降、ミソジニーとも言うべきアイロニカルな語り口が注目されている。「潮騒」に始まり[13]、本作を経て「美しい星」[14]に通じる三島長編の語りの系譜とも考えられるが、ここでは「永すぎた春」と接続することで、一九五六～七年の状況の中で発せられているメッセージ性に触れたい。具体的には対米従属の五十五年体制下における東京に生じた有閑階級の問題である。

　「永すぎた春」「美徳のよろめき」はともに東京を舞台としており、具体的な空間的配置のもとに五十五年体制下の東京が表現される。

　「永すぎた春」には東京の地理に象徴される社会の三構造がある。飯倉片町の「焼趾の石垣の上に建てられた鉄筋コンクリートの小さな洋館」に住む山手の「お坊ちゃん」郁雄と、戦争をも知らぬ気に「焼け残った古い書店」の娘・百子の恋愛が成就する代わりに、工場街の「暗い単調な騒音」に満たされた下十条の、電話がなく「埃だらけの階段」と「暗い廊下」をもつ二階建てのアパートに住む朝香と百子の兄・東一郎の恋愛が郁雄の母・宝部夫人によって引き裂かれてしまう物語である。それは浅香さんの母・つたの策略に原因があるが、その奸計の背景には「永年にわたる階級的なひがみ」があり、「ようやく幸運をつかむという瀬戸際になって、つたはその幸運に我慢がならなくなった」ために「自分の手で爆破したくなった」という心の動きがある。

　宝部夫人はその名が示す通り、財力を有する家庭の有閑マダムとして気ままな振る舞いを示す人物である。東一郎を呼び出して浅香との別れを迫り、激昂した東一郎と口論を演じた後、宝部夫人は「美容院へ行ったあとの髪は、へんに人工的でイヤなものだわ。家へかえって直さなくちゃ」

と思うのである。彼女にとって浅香母子との絶縁も髪型と同レベルの問題なのである。語り手は笑いに昇華している[15]が、相当な階級意識の持ち主である。

宝部夫人の所属階級、それは「有閑階級」である。古い著作だが、『有閑階級の理論』（原著一八九九年。一九九八年二月、ちくま学芸文庫）においてソースティン・ヴェブレンは「有閑階級は理論的には略奪文化が始まったときから存在するが、略奪的な文化段階から金銭的な文化段階への移行とともに、有閑階級という制度が新しく完全な意味を担うようになる」と述べる。口論の舞台である新橋のS倶楽部では夫人の旧友の夫がマネージャーをやっており、彼は「現在も御歌所寄人である公家出の元男爵」である。明治期に形成された日本の上流階級は華族制度という根拠を失ったが、それが「略奪的な文化段階から金銭的な文化段階への移行」と言い得るならば、ヴェブレンの分析した十九世紀末アメリカ都市部に生じた有閑階級に近い存在として、このマネージャーや宝部夫人を定義できる。語り手も「彼のタキシード姿には、近頃の雑なお客よりはよほど品格があった。」と述べ、新興中間層と峻別している。東一郎は「貧しい家の息子ではないのに」「ボーイたちがいかめしく迎える玄関で気おくれ」を感じる。そこに古い商家の跡取り息子という階級性も見える。

この倶楽部から宝部夫人は川向こうの米軍病院を眺める。そこには、戦争によって地位と威厳とを失った提督と、朝鮮戦争による傷を抱えた在日米軍、そしてその戦争を契機に復興を遂げた戦後日本がカリカチュアライズされる。

「美徳のよろめき」の節子は「門地の高い家」の出身と語り出される。その実家は「ウイットを持たない上品な一族」で、「多忙な家長」は「留守がち」とされるが、その「家長」こと藤井景清が「官能の海に漂う」節子を掬い上げるフックの役割を果たす。景清は「白髪の美しい立派な家長で、気品も高く、穏やかなその人柄は世の敬慕の的になって」おり、「今までの職業とはちがった系列のものであるが、特に乞われて、あらゆる点から見て申し分のない人格の持主だけにふさわしい、国家の正義を代表するような地位」に就いている。これがどのような職種を指すか、本文中では明言されないが、その娘が有閑階級に属する存在に育つことは当然である。そして両者の久々の会食は「旧財閥の当主の邸で、今は会員制度の倶楽部になっている」場所である。財閥の解体によって手放された邸宅を活用する彼らは、宝部夫人同様に「顕示的消費[16]」あるいは「顕示的閑雅[17]」を行なっていると読める。

先述した『妊娠小説』における齋藤氏の語り分析をここに当てはめてみると、語り手は女性に対して相当な偏見の持ち主であり、節子の（第三者から見た際の）不幸を楽しんでいる人物であると考えられる。つまりは男性ジェンダーであり、有閑階級に対するルサンチマン、ないしは嗜虐的傾向の持ち主と言ってよい。そもそも、節子は「官能の海に漂う」べく仕向けられた非現実的なキャラクターである。「官能の海に漂う」女性を描く小説が官能小説でないはずはない。言うまでもなく官能小説はエンターテインメント小説の一形態である。そして官能小説は一般に男性ジェンダー向けである。それは「美徳のよろめき」を読む読者の嗜好ではないか。

ここで私は文庫本を手放し、掲載誌『群像』を手に取る。先述した十返は「文芸雑誌論」（一九五六年一一月『文学界』）において「文芸雑誌がよく売れるために最も求められるものは、なんといってもすぐれた小説の掲載されること」であり、「興味本位なテーマで、いわゆる文学ファンを引きつけると同時に、本格的作品でより真摯な関心をもつ読者層によびかける企画」の「二本立」でようやく経営しているのが実情で、「戦前とは比較にならないほど膨大な発行部数をもたなければ刊行しえない」と述べている。そのなかで『群像』は「もっとも文芸雑誌の本道をゆくもの」として自他ともに認められている」と別格扱いしている。

このような文脈を踏まえて『群像』一九五七年二月号を読むと、平野謙・中村真一郎・十返・山本健吉の評論による「中間小説と純文学」という特集が組まれ、「編集後記」でも「ジャーナリズムが戸惑いし、ジャーナリズムを引きずる新人の出現こそが、中間小説が殷賑を極めようともそんなことに関わりなく、この文壇の沈滞を破り活気を注ぎ込むのではないだろうか。」と書かれている。『群像』にも「中間小説」という呼称でエンターテインメント性への指向があったのだと知ると、その次号である三月号巻頭に掲載された「いきなり慎みのない話題からはじめるのはどうかと思はれるが、倉越夫人はまだ二十八歳でありながら、まことに官能の天賦にめぐまれてゐた。」という「美徳のよろめき」冒頭の一文が、三島によるマニフェストにも感じられるのである。当時、文芸雑誌の売り上げに貢献する読者のボリュームゾーンは学生などインテリに属する若い男性であろうし、チャタレイ裁判が上告棄却されるタイミングでもあった。彼ら読者に官能的な有閑階級マダムの物語はどのように響いただろうか。

「美徳のよろめき」は五十五年体制もしくは戦後復興の踊り場時期に現れた有閑階級に関する関心を取り込みつつ、文壇ギルドの解体あるいは「太陽の季節」ブーム以降に文学に関心を持ち、「中間小説」を求める読者向けにエンターテインメント性を高めるべくパラメーターを操作して書かれた作品であり、それが三島のジャーナリストとしてのふるまいでもあったという仮説がここに成り立つ。

これは作品そのものの評価とは別の問題であり、その検討にはメディア論やジェンダー論の観点による詳細な分析が必要となるので、ここでは仮説の提示にとどめたい。

（金沢大学）

注1　杉山「三島由紀夫・昭和三十年代エンターテイメント系小説群における語りの問題」（二〇一二年八月『社会文学』）。

2　現在では角川文庫（二〇〇九年一〇月）に収録されている。

3　吉田昌志「三島由紀夫『愛の疾走』の諏訪」（二〇〇六年一月『国語と国文学』）に教えられた。

4　武内佳代「性規範からの逸脱としての『純白の夜』『恋の都』『女神』『永すぎた春』：1950年代の女性誌を飾った三島由紀夫の長編小説」（二〇一一年一一月『ジェンダー研究』）など。

5　三島「解説」（『花ざかりの森・憂国』一九六八年九月、新潮文庫）

6　「天人五衰」該当箇所は『新潮』一九七〇年一月号掲載。

7　『新編　文壇の崩壊』（坪内祐三編、二〇一六年四月、講談社文芸文庫）が刊行された。

8　この点については杉山「三島由紀夫〈伝説〉と芥川賞の行方」（二〇〇四年一〇月『近代文学合同研究会論集』）で触れた。

9　『幸福号出帆』（二〇一〇年一〇月、角川文庫）解説。

10　「純文学」と「エンターテインメント」。

11　『お嬢さん』（二〇一〇年四月、角川文庫）解説。

12　注1に同じ。

13　柴田勝二「三島由紀夫『潮騒』論―「神」としての物語」（一九九五年三月『相愛大学研究論集』）、杉山「『潮騒』の語り手と戦後社会」（二〇一二年一〇月『季刊iichiko』）、福田涼「三島由紀夫『潮騒』論―初江に着目して」（二〇一八年一二月『語文』）など。

14　山崎義光「二重化のナラティヴ―三島由紀夫『美しい星』と1960年代の状況論」（二〇〇一年九月『昭和文学研究』）。

15　注1に同じ。

16　ヴェブレンによれば「上流階級の非産業的な職業」には「統治、戦闘、宗教的職務およびスポーツ」があるとする。ある程度は三島や石原にも当てはまる分析だろう。ヴェブレンは、有閑階級はそれらを通して「顕示的消費」を行うとも述べており、有閑階級の嗜みを持ち、それを顕示的に示すことが一般市民の憧れる「スター」に彼らを押し上げたと考えることもできる。

17　「現代においては、何の野心も持たぬと言うことだけで、すでに優雅と呼んでもよかろう」、「男が憧れるのは「それほど美しくなくても、優雅な女のほうである」という語り手の節子評は想定された読者の「顕示的閑雅」への憧憬を表したものとも言える。

三島由紀夫「純白の夜」論　――エンターテインメント小説への挑戦――

九内悠水子

はじめに

奥野健男[1]は、「純文学とエンターテインメントと書き分け」た三島由紀夫にとって後者は「息抜きの遊び、たのしみ」であったと言い、ジョン・ネイスン[2]も「生計《ポットボイラー》のための小説」として「磨かれた無価値な石ぐらい」の通俗小説を執筆していたと指摘する。一方で、橋本治[3]は、彼の「エンターテインメント」と称する作品群は、「ある意味で、彼の純文学作品より難解で、大衆の理解を拒絶するようなおもしろさに満ちて」いたとみなす。また、武内佳代[4]も、三島の場合「「娯楽」的な装いの作品であっても（中略）、作家自らにとって挑戦的なモチーフや思想、あるいは精緻な文体による優れた描写力と作品構成」を有していることが多く、単なる「エンターテインメント作品」という定義には完全に適合しないという見解を示している。

ところで、三島の長編第三作目『純白の夜』（『婦人公論』一九五〇・一〜一〇）はこれまで、エンターテインメント系の小説として受け止められてきたためか、残念なことに本格的に論じた先行研究[5]がほとんど見当たらない。『純白の夜』を執筆した年には他に、『愛の渇き』（新潮社一九五〇・六）、『青の時代』（『新潮』一九五〇・七〜一二）といった長編が発表されたが、『青の時代』の創作ノートにメモされた執筆計画からは、一ヶ月のうち一週間を、『純白の夜』に、二週間を『青の時代』の執筆に費やすつもりであったことが読み取れる。また『純白の夜』の創作ノートを見ても、それなりに時間を確保し、構成やモチーフの検討を行っていたことが窺える。つまり本作は三島が多面的な挑戦を試みた意欲作[6]だったと考えられよう。玉石混交のきらいはあるが、『純白の夜』は、三島と文学をめぐる営みの中でどのような意味を持つのか、改めて考えてみたい。

1　『婦人公論』におけるブランドイメージの確立

『純白の夜』と同時期に、掲載誌の『婦人公論』で連載されていたのは、平林たい子『春のめざめ』（一九四九・一二〜五〇・五）、三好十郎『肌の匂い』（一九四九・八〜五〇・七）、阿部知二『砂丘』（一九五〇・一〜一二）、高見順『胸には胸を』

(一九五〇・六〜五一・三)、藤原審爾『愛と祈りの肖像』(一九五〇・九〜一二)であったが、このうち、三島が連載を開始した一月号に掲載されていた三作品を見てみたい。

平林たい子『春のめざめ』は、百姓仕事に専心する母と兄に代わり、学校に通いながらも負債と掛売の多い小さな雑貨屋を切り盛りする一二歳の少女松子を主人公とする物語である。早くから「商業というあくの強い大人の世界に首を突込」み、「少女期をとばして幼女からまっすぐ大人の世界に入」らざるを得なかった松子には、没落した元良家に生まれ、幼少期より実家が営む雑貨店を取り仕切ってきた、たい子自身の生い立ち(7)が反映されている。

三好十郎の『肌の匂い』は、「オキナワ」からの復員兵貴島勉と、彼に恋し追い続ける元子爵令嬢で今は劇団女優の綿貫ルリ、そして結核と性病によって痴ほうの症状をみせるタミ子をめぐる物語である。戦争によって「人間にも、社会にも、何の意味も見出し得なくなった」貴島は、戦前に泥酔のなか童貞を与えた、顔も名前も覚えていない女を、匂いを頼りに追い求めている。「ゴロツキの子分で無籍者」の自分がしている「愚劣さ」を自覚する貴島にとって、女を探すことは、「生の根源を求めて、性の根源にさかのぼることであり、また、「死やニヒルからの折り返し」を図る(8)ことでもあった。物語は貴島が、「一人の平凡な男」として「ルリと結婚して、タミ子を養い、そして何かして働こう」と決意するところで閉じられている。

平林も三好も、一時期はプロレタリア文学に身を置き、のち転向した作家であるが、両作ともに、社会の底辺に身を置くことを余儀なくされた主人公が、もがきながらも自らの力で何とか立ち上がっていこうとする物語となっている。

一方、阿部知二は二人とは反対に、戦前は新興芸術派の有力な一員、モダニズム文学の旗手として、反プロレタリアの立場に立ちながら、戦後は進歩派として行動(9)した作家である。但し、彼の作品が左傾化していくのは一九五三年頃からと言われており、『砂丘』には、同じく婦人誌に掲載された『花と鎖』(『婦人画報』一九五三・六〜五四・六)にみられるようなイデオロギー的特色はまだ見られない(10)。『砂丘』では、「戦後のものは穢らわしい」と新しい本や雑誌を買うことを許さず、「出来るかぎり外の空気に触れさせまい」とする偏屈な父と暮らす娘千賀が主人公である。彼女は、戦前の女学校時代よりすでに、「田舎の豪家の子供として、存分に我儘に贅沢に暮し」ながらも、閉鎖的な地方、頑固な父親から逃れたいと願っていたのだが、その望みは叶わず、戦後の今日に至るまで「近所の人に狂人扱いにされている父と、昔夫に逃げられた婆やとその娘と、唖の作男」と暮らすことを余儀なくされている。連載初回のラストシーンで、昔は多少なりとも自分の美貌を自負していた千賀が、「ざらざらの砂ばかりの中に生き」ていくうちに、いまでは「肌も眉目も荒れて」しまったことを嘆く場面がある。『砂丘』と『純白の夜』は、実は同時に連載が開始されているのだが、旧財閥の家に生まれ何不自由なく育った美貌の人妻郁子とその夫恒彦、そして夫の学校友達で美丈夫の楠の三人が、画廊や高級住宅街にある邸宅、男爵家でのダンスパーティーなどを舞台に恋の駆け引きを繰り広げるさまが初回から描かれた『純白の夜』とは随分対照的と言えよう。

　このように、上流階級の道ならぬ恋模様を描いた本作は、同じ誌面に並べられた三作家の作品と比べてみると、かなり毛色が異なっている。三島は『純白の夜』以前に、随筆「没落する貴族たち」（一九四八・九）、短編「不実な洋傘」（一九四七・一〇）を『婦人公論』に発表しており、「「家庭にある妻の解放」あるいは家庭を重視した上での女性の解放」といった雑誌の目指す方向性[11]・読者層などはある程度知悉していたはずである。しかしここで彼は、上流階級社会における有夫女性の「欲望」を赤裸々に、しかし格調高く描くというある種「攻め」の姿勢[12]で連載に臨んだ。このスタンスは、先にあげた随筆や短編にも既に見られる。前者では、太宰の『斜陽』を皮切りに貴族や財閥の子弟の戦後を語り、後者では、有夫の女性が夫以外の男性に恋心を抱く話が描かれた。本橋龍晃[13]は、三島が、『婦人公論』から女性読者を啓蒙する男性知識人としての〈貴族〉というイメージを求められ、また彼自身もそれに呼応しようとしていたことを指摘しているが、本作もまた、そのレールに乗ったものであり、三島のブランドイメージ確立に一役買ったと言える。

　なお、葦原英了[14]は、「連載中はたいした反響を生まなかつた」し、「翌年大船で映画化されたり、単行本が出版されたりしたが、これまたセンセエションをおこすに至らなかつた」と述懐しているが、川本三郎[15]に拠れば「この作品は封切にあたつてその倫理性を議論され、未成年者見るべからずの制札も出た」という。なお、映画のポスターやチラシ、試写会招待券には、「本年最後の純芸術巨篇　婦人公論連載！　三島由紀夫作品の問題作品の映画化！」、「傑作〝帰郷〟を凌ぎ世界の名画に迫る文芸映画の金字塔[16]」、「この映画は「帰郷」を監督して文部大臣賞の栄に輝やいた大庭秀雄が、戦后純文学界に登場して一躍文壇のキリン児と謳はれた三島由紀夫の傑作を映画化した作品で（中略）豪華配役を網羅した文芸映画の名作として、敢えて今年度の最高水準と自負するものであります[17]」といった宣伝文句が並んでいる。これらを見る限り、制作・興行・配給にあたった松竹では、純文学の若手旗手三島が書いた正統派の問題作として受け止めていたようだ。また、それに対する「倫理性」の議論や、「制札」といった当時の反応からしても、「啓蒙」とまではいかなかったかもしれないが、旧弊的なセクシャリティに一石を投じるという意義は少なからずあったと言えよう。

2　三島文学と経済学的ロマネスク

ところで、経済小説というジャンルからは些か外れるかもしれないが、三島の作品には背景に日本経済の歴史を据え、その変動に登場人物たちが絡めとられていく様子を描いたものが少なくない。光クラブ事件を題材に、高利の闇金融を営む東大生を描いた『青の時代』をはじめ、高度成長期のダム事業に携わる主人公を描いた『沈める滝』（『中央公論』一九五五・一～四）、朝鮮特需から高度経済成長へむけて歩みを進めた時期のニヒリズムに満ちた若者たちを描いた『鏡子の家』（『聲』一九五八・一〇、以下書きおろし新潮社　五九・九）、近江絹糸の労働争議を題材に、古き日本の家族的経営哲学を持つ社長が時代の移り変わりの中で滅びてゆく様を描いた『絹と明察』（『群像』一九六四・一～一〇）などがそうであり、『鏡子の家』に関しては、三島自身、「小説の物語の背後に経済が動いてゐる」、「経済学的ロマネスクをとらえようという野心があった[18]」と述べている。『純白の夜』は、一九四八年秋から翌年の夏前までの物語であるが、岸田銀行の行員恒彦と、合成樹脂会社社長楠との融資のやり取りの中で、「経済安定九原則」、「安定恐慌」、「ドッジ公使の声明」といった敗戦後の日本経済の動きが描き込まれている。また、「船成金」、「追放令」、「財閥解体」といった歴史の流れが登場人物のその後を左右していく。

ヒロイン郁子は、夫恒彦が勤務する岸田銀行の創業者一族の娘である。戦前、まだ一五歳の時に夫の父則彦に息子の許嫁として見出だされ、二〇歳で結婚した。しかし現在の岸田銀行からは創業者の「一族郎党が追ひ出され」ており、恒彦が銀行と岸田家をつなぐ唯一の「紐帯」となっている。このような郁子の身の上は、一九四七年三月にGHQが打ち出した財閥解体に起因している。これにより、旧財閥の家族、本社の所有株式は持株会社整理委員会に移管され、一〇財閥の財閥家族と認定された五六名が経営から追放された。つまり、岸田一族にとってみれば、郁子は、占領終了後に再び銀行経営の実権を取り戻すための頼みの綱であったというわけである。そんな彼女の夫の父則彦は船成金として一代で財産を築き、戦時下では商工大臣まで務めた豪傑であった。第一次世界大戦後の好況により急速に財を成した三大船成金（勝田銀次郎・内田信也・山下亀三郎）のうち、勝田は衆議院議員や神戸市長を、内田は東条内閣で農商務大臣を、山下は同じく東条内閣の内閣顧問を務めるなど、いずれも後に政界で影響力を持つに至った。山下は戦時中に病で亡くなったが、勝田や内田は戦後公職追放となるも再び、政界に戻っている。ところで、恒彦は、現在は岸田銀行の係長[19]という身分に過ぎない。作中では触れられていないため想像の域に過ぎないが、父が起こした船会社は既に潰れたか、人手に渡っているものと思われる。ちなみに勝田汽船は昭和四年に倒産しており、内田汽船は大正九年に自社船をすべて売却することで不況を乗り切った。山下汽船は合併を繰り返しながら現在の商船三井へ統合されている。つまり、恒彦は父が遺した財産を運よく戦後も維持できていることで今があるわけで、身分的には銀行の貸付係長に過ぎない。三五歳という年齢にしては早すぎもせず遅すぎもしないポジションであるが、創業者一族の娘を嫁に持ち、大臣であった父を持つ男としてはいささか振るわないとも言えるだろう。なお「創作ノート」には、「恒彦のつとめ先岸田銀行の岸田財閥の娘、この自殺により恒彦の地位薄弱となる」という記述が見られる。書かれはしなかったが、郁子死後の彼の境遇が公私にわたって明るいものではなかっただろうことが予感させられる。

一方、恒彦の同窓である楠は、自家用車ビュイックと河口湖の別荘を所有、経営する合成樹脂会社は創業してまだ一年に満たないものの、さまざまな製品の特許を有しており、将来の展望も明るい。戦前はアメリカの大学に留学を果たし、現在は別荘に招いた当時の学友をはじめ、多岐にわたる人脈を上手く活用して、事業拡大を図っている。作中からははっきりとは窺えないものの、「創作ノート」には、「楠─妻のみ、子なし、学習院同窓生、(芝小路モデル)公卿華族出身」、「貧乏華族から出世、やり手、反撥的生活力」とあり、華族出身者[20]として設定されているようである。ちなみに芝小路とは、学習院の先輩で、ハワイアン歌手の芝小路豊和氏[21]のことを指すのではないかと思われる。楠に音楽好きという属性は与えられていないようだが、日本浪漫派に傾倒する学生が多数を占めつつあった戦時下の学習院[22]にあって、貴族且つ親米という芝小路氏のイメージが三島の脳裏に印象付けられ、それらが間接的に楠に投影されたものと推察される。いずれにせよ楠にはアグレッシブさと生活力があった。没落していく貴族も多い中で、高度経済成長における代表的な成長産業となった合成樹脂の会社を興した彼の先見の明といい、恒彦とは対照的な人物像として描かれていると言えるだろう。そしてこのことは、後述するが、郁子が楠に惹かれる要因にも繋がっていくと思われる。

このように、『純白の夜』では、物語の背景に戦前から戦後をめぐる経済が描かれ、また、それらは主人公の立ち位置や言動にも大きくかかわっている。作品に「経済的ロマネスク」を盛り込むという三島文学の特徴を、早くも本作で垣間見ることができるのである。

3　恋愛小説としての功罪

ところで小池真理子[23]は、『純白の夜』について、「優雅な手さばきで、男と女の、それぞれの魂の外科手術を行ってみせ」た、「緻密で完璧な恋愛心理小説」であると絶賛している。また、葦原英了も、レイモン・ラディゲの『肉体の悪魔』や、『ドルジェル伯の舞踏会』を想起させる「見事な心理小説」であり、「三島作品としてもきわめてすぐれたもの」と高く評価する。一方で川本三郎[24]は、「銀行家の村松をべつに不満を与える男として描いているわけでもなく、郁子の性格にも濫倫なものがうかがえる訳ではない。夫に普通の愛情をもち、教養もある妻が、どうして他の男にひかれたかという脈絡が十分に出ていないうらみがある」、「沢田との肉体の交渉にしても、平生きらいぬいている彼と、夫のるす中二人だけで酒をのみ、その挙句、楠にも許さなかつたものを与える。良しあしの問題ではない。一体そういうことがあり得るだろうか」と批判的である。

葦原は、心理分析が「極度に簡潔」ではあるが、それは、三島が分析結果をあえて作品の上には出さず、読者の頭の中に出させるようにしているからであると解し、「郁子と楠とのはじめての接吻の場や、郁子が沢田に身をまかす場が省略」されていることについても、そのような展開があとから読者に種明かしされるような「心にくい」手法だと見る。このような「語らない」語りの作為については、同時期の『青の時代』にも見られ、こちらはある程度成功しているのだが[25]、『純白の夜』では「語らない」度合いが些か甚だしい。例えば、郁子は、楠との初対面の三〇分間においてすぐさま恋に落ちたことになっているが、その場面も完全に「省略」されている。まずは、「良人のゐない場所で、彼女は女友達となら別のこと、あんなに声高に笑つたことは嘗てなかつた」という情報だけが語り手によってもたらされる。そして、その後の女中のぶとの会話によって、「かへつたばかりの楠の顔だちがもうはつきりと記憶に残つて」おらず、「三時間にちかひそのあひだ、彼女は一度もまともに楠の顔をみたことがなかつた」ということを郁子が自覚するという流れの中で、読者は、この初対面の時点で彼女が既に楠に惹かれ始めていたことを理解する。しかしそこでは、楠の何が郁子の心を捉えたのかについては具体的に示されない。「甚だ派手好きで利巧な郁子は、結婚したのちも幾人かの男と戯れの接吻を交はして噂ひとつ立てなかつたことが一再ではなかつた」とあるように、誘惑に晒される機会はこれまでにもあった。しかしそれらは火事になる前に郁子「一人でものの見事に処理して」きた。そのことは郁子自身の密かな誇りでもあった筈なのだ。「これぞと思ふ女に二ヶ月以上かかつたおぼえ」がないと自負するほど女に手慣れ、自らの力で事業を起こし拡大していかんとするアグレッシブさと生活力を持つ楠には、これまでの男たちにも、また夫恒彦にもない魅力があり、惹かれたということなのか。意識的な「省略」があったにせよ、肝心な部分の書き込み不足によって、不可解さと不満感が読後に残ることは否めない。

ただやはり、人妻郁子と夫の友人で妻もいる楠との間の心理的駆け引きに関していえば、スリリングな緊張感を持って読者に迫ってくるものがある。また、その間に挟まれ優柔不断にたちまわらざるを得ない郁子の夫恒彦も加えた三角関係が、カタストロフへと向かうさまは、見事と言わざるを得ない。ここで注目したいのは、「お義兄様の腰巾着」と郁子の妹露子に揶揄され、終始道化的な役回りを負わされてきた沢田の存在である。物語冒頭から、恒彦と郁子に付いて回り、踊れもしないのに草野井男爵のダンスパーティーにまで顔を出す。更には、父が東京の実家を処分し下宿先に困っているからと「権利金の要らない貸間を狙つ」て恒彦の家に転がり込んできた。そればかりか、恒彦の留守の間、恋の駆け引きに疲れた郁子の隙に乗じて彼女をものにし、あまつさえその顛末を楠に吹聴した。沢田は恋愛の三角関係から弾かれているが、その傍に終始居座り、最後には、危うい均衡を保っていた郁子・楠・恒彦の三人の関係性を破壊するに至った。傍観者に過ぎなかった彼がカタストロフへの先導者であったという意外性によって、『純白の夜』は、他の恋愛小説との差別化が図られているとも言えるだろう。

4　リベンジとしての『沈める滝』

このように恋愛小説としては功罪併せ持つ『純白の夜』だが、そのリベンジとも言えるのが五年後に書かれた『沈める滝』である。先述したような経済的ロマネスクを再び試みたこの作品は、主人公のダム設計者城所昇と、人妻顕子、顕子の夫で証券会社取締役の菊池という三角関係に、昇の同僚瀬山が絡むという筋立てである。昇は優秀な土木技師で、財力にも富んでおり、女とはワンナイトラブの関係しか結ばない。一方、顕子は人妻でありながら、これまでに夫以外の男と多くの情事を重ねてきた。また、顕子の夫菊池は、妻の行動には無関心であるが、社会的体裁にはひどく気を使っている。そして、瀬山は昇より七つ年上であるが、昇の祖父の家で書生をしていたこともあって、昇に酒を御馳走になる機会を常に窺っている。なお、瀬山と沢田には、腰巾着で道化的な傍観者としての立ち位置に加え、地方出身者であること、整理整頓好きの小まめな男であること、三角関係を壊す決定打を与えること等の共通点もある。

楠同様、色事に放埓な、しかし誰をも愛さない昇は、不感症の人妻顕子に対し、誰も愛せない同志で、「嘘からまことを、虚妄から真実を作り出し、愛を合成」しようと持ち掛けた。「お互い苦しめあう」ようにすることで人工的恋愛を作り出そうと目論んだのである。しかし、顕子の不感症は昇との関係の中で解消され、それに伴い人工ではなく自然の、真実の愛を求めてくるようになった。平凡な、その他大勢の女に成り下がってしまった顕子に対して、昇は急速に関心を失っていく。そして、迎えに来た夫菊池に対し、あっさりと彼女を返すことを約束するのである。昇から見放され、挙句「感動しないから、好きなんだ」という彼の本音を聞いた顕子は絶望し、自ら命を絶つ。この、「愛」のために「苦しめあう」という些か逆説的な思考は、『純白の夜』に既に見られる。プロスペル・メリメがジェニー・ダカンに宛てた書簡から「どちらがより多く相手を苦しめることができるか試してみませう」[26]という文言が引かれ、楠は自分と郁子との関係が「苦しめ合ひ」であると認識する場面がそうである。その結果、郁子は沢田と過ちを犯し、またそれを知った楠からの「拷問」的あしらいに絶望し、青酸カリを飲んで自ら命を絶った。

エンターテインメント系作品が、純文学系の「後の作品に繋がるテーマや構成を備えており」、「単なる娯楽作品という以上に、後の作品の雛型としての面を内蔵している」[27]例として、『幸福号出帆』（『読売新聞』一九五五・六・一八～一一・二五）と『鏡子の家』を挙げることができるが、『純白の夜』と『沈める滝』もまた似たような関係であると言えよう。この二作は、恋愛小説としての側面も、また経済小説としての側面も有しており、人物造型やその関係性、あるいはストーリー展開においても共通するところが多い。更には、『沈める滝』では、顕子に「不感症」という要素を、瀬川には昇への恨みを持つに至るエピソードを加えることで、『純白の夜』における恋愛動機や破壊動機の書き込みが不十分な面をフォローした。失敗を失敗のままに留めず、ブラッシュアップを掛け、後の作品へ昇華させていく三島の執念をここに見ることができる。

おわりに

ここまで、連載小説、経済小説、恋愛小説としての側面と、そこに見られる各種の試みについて言及してきたが、この他に、教養ガイド的側面[28]、あるいは上流階級の生活垣間見といったやや下世話な側面なども指摘することができよう。作中には、ウジェーヌ・ドラクロワ、アンリ・マティス、オーギュスト・ロダン、横山大観、竹内栖鳳といった美術家たちや、チャールズ・ラム、ジョン・キーツ、ハーマン・メルヴィル、ウイリアム・シェークスピア、プロスペル・メリメ、ジョルジュ・サンドといった文学者たちの名が其処此処に鏤められている。またダンスパーティーやクリスマスディナー、遠乗会、高級店での食事といった、当時の庶民の生活からは程遠い日常[29]が描かれるが、一方で、郁子をシニカルな目で品定めしようとするスノビズムの権化のような女中頭のぶが登場したりする。

中尾香は、『婦人公論』という雑誌について、「真面目に「解放」や〈進歩性〉を追求しながら、しかしそれは商業主義や娯楽性と分ちがたく絡み合っていくような[30]」姿勢が見られたと指摘している。『純白の夜』もまさに、真面目に「芸術」や〈進歩性〉を追求しながらも、商業主義や娯楽性と分ちがたく絡み合った作品と言えよう。『仮面の告白』（河出書房　一九四九・七）の成功に満足せず、エンターテインメント小説[31]という新たなステージにおいても果敢な挑戦を試みる三島の軌跡を本作では窺うことができた。しかし、同じエンターテインメント系と見なされる小説にも掲載誌のカラー等によって各種のバリエーションが生じているようである。今後はこれらを一つずつ精査していくことが求められよう。

（比治山大学准教授）

注

1　奥野健男『三島由紀夫伝説』（新潮社　一九九三・二）

2　ジョン・ネイスン『新版・三島由紀夫―ある評伝―』（新潮社　二〇〇〇・八）

3　橋本治『「三島由紀夫」とはなにものだったのか』（新潮社　二〇〇二・一）。以下、橋本の指摘は本書に拠る。

4　武内佳代「エンターテインメントとしての三島由紀夫―その〈不純〉なる文学に向けて」（井上隆史ほか編『三島由紀夫小百科』〈水声社　二〇二一・一一〉）

5　武内佳代「性規範からの逸脱としての『純白の夜』『恋の都』『女神』『永すぎた春』―１９５０年代の女性誌を飾った三島由紀夫の長編小説―」（『ジェンダー研究（14）』二〇一一・一二）では、三島の女性読者向けの文学活動という観点から、掲載誌に注目しつつ『純白の夜』について分析している。

6　三島（「作者の言葉―純白の夜」〈松竹映画プログラム一九五一・八・二七〉）は、本作について「野心」が比較的少ないことが作者自身の気に入る理由と述べているが、純文学とは違ったステージにおいて、自由闊達に各種の試みを実践していたことは、作品の中から確かに窺える。

7　中山和子「平林たい子―初期の世界―」（『文芸研究35』一九七六・三）。なお、『春のめざめ』では、たい子が社会運動家の伊藤千代子と共に、中洲尋常高等小学校で川上（上條）茂から受けた「早教育」（特別授業）についても描かれている。

8　田中単之「三好十郎論（三）―知識人とは何か―」（『日本文學誌要20』一九六八・三）

9　水上勲「阿部知二における《戦後》―『抒情と表現』から『現代の文学』へ―」（『同志社国文学41』一九九四・一一）

10　水上勲「阿部知二における小説の方法・試論―戦後小説の視点人物をめぐって―」(『同志社国文学35』一九九一・三)

11　森まゆみ『「婦人公論」にみる昭和文芸史』(中央公論新社　二〇〇七・三)

12　武内佳代(注4に同じ)は、知識階級向けの先進的内容を誇る『婦人公論』で、既婚「女性の欲望の法外な揺らぎ」を描いた『純白の夜』は、時代に対して早すぎたため失敗したという見解を示している。

13　本橋龍晃「終戦後の女性誌と三島由紀夫の太宰言説―没落貴族表象を視座にして―」(『Intelligence(21)』二〇二一・三)。しかし、異なる掲載誌に提供されたエンターテインメント小説にはまた別のブランドイメージを持たせていたきらいがある。この点についてはまた別稿にて言及したい。

14　葦原英了「解説」(『純白の夜』　角川文庫　一九五六・七)。以下、葦原の指摘は本書に拠る。

15　川本三郎「白い国境線・純白の夜―映画評」(『財政16(11)』一九五一・一一)。以下、川本の指摘は本論に拠る。

16　松竹映画ポスター『純白の夜』(一九五一)

17　『純白の夜』試写会招待券(一九五一)

18　三島由紀夫「〝現代にとりこむ〟　野心作『鏡子の家』三島氏に聞く」(『毎日新聞』一九五九・九・二九)

19　恒彦が、郁子と婚約した二八歳の時点で、既に岸田銀行入りしていたのか作中には明記されていないが、そうならば創業者一族の娘婿なりのポジションが与えられたであろうし、財閥解体の折に一緒に追放された可能性も高い。よって恒彦の入行は、財閥解体後であろう。但し、それまで何をしていたかは不明である。この点は楠も同じで、一九三五年頃にアメリカの大学を卒業し、一九四六、七年頃に会社を設立するまで、兵役を挟むにせよ、数年間の経歴が不明である。

20　楠の自家用車ビュイックだが、梁瀬商事がGM社の全車種販売権を許与され、その第一号車が日本に入って来たのは一九四九年であるから、戦前より所持していたものだろう。戦前の日本でビュイックは、皇族や華族の愛用車であった。

21　芝小路家は、藤原北家勧修寺流芝山家庶流にあたる。豊和氏については、三谷信宛書簡(一九四五・一・六)に、「あのジャズ気違ひ」が「日本音楽も却々い、ね」と言っていた等の記述が見られる。また、三島の同級生の瀬川昌久(瀬川昌久・蓮見重彦『アメリカから遠く離れて』〈河出書房新社　二〇二〇・一二〉)は、芝小路氏が当時所属していたハワイアンバンド「カルア・カマアイナス」の「お別れコンサートにおそらく三島由紀夫も来たと思います」と証言している。アマチュアバンドながら、一九四一年当時東京随一の音楽ホールだった日比谷公会堂で定期公演を行い、レコードを発売するなど、音楽好きの間ではその名が知られていた。

22　瀬川(注21に同じ)は、みんな日本浪漫派に行ったが、自分には、「アメリカ文化というものが素晴らしいという気持ち」が拭えず、「いまの時代にそういうモダンなものを吸収しないでどうする」という思いだったと述懐している。

23　小池真理子「解説」（『純白の夜』角川文庫　二〇〇九・二）

24　川本の評価は、映画『純白の夜』についてのものだが、原作についての批判としても十分通用しうるものだと思われる。

25　拙稿「三島由紀夫『青の時代』論―語られない耀子が語るもの―」（『国文学攷（255）』二〇二三・一二）

26　森雅恵（「三島由紀夫における死あるいは美―模範としてのメリメ―」〈『COMPARATIO（12）』二〇〇八・一一〉）によると、三島が『純白の夜』で引いているのは、中井程一訳『メリメの手紙』（春陽堂　一九三三・七）である。

27　拙稿「三島由紀夫『幸福号出帆』論―エンターテインメント小説に見る手法―」（『近代文学試論40』二〇〇二・一二）

28　「不実な洋傘」や「没落する貴族たち」においても、西洋の文学者たちの名前が頻出していることから、読者層を想定し意識的に織り込んでいたことが窺える。

29　葦原は、『純白の夜』における上流階級の日常について、「多くの読者にとつて、高嶺の花的次元で、大方の最も精通していない次元」のため、何事がおころうと、「そういうものかなあ」と、批判の余地がない状態であったと述べている。

30　中尾香「〈進歩的主婦〉を生きる　戦後『婦人公論』のエスノグラフィー」（作品社　二〇〇九・三）

31．小松史生子（有元伸子・久保田裕子編『21世紀の三島由紀夫』〈翰林書房　二〇一五・一一〉）は、「大衆読者の知的好奇心を快く刺激する」ようなペダンティズムの文体を巧みに操る一方、「物語内容自体においてはむしろ観念的な寓話の体裁を採って普遍の哲学を希求せんとする」点が三島のへエンターテインメント小説の極意〉だと指摘する。

特集　三島由紀夫のエンターテインメント１

三島由紀夫『夏子の冒険』論

藤田　佑

一

グレアム・グリーンは、自らの小説をnovelとentertainmentに分類していたことで知られている。entertainmentの副題が付された『密使』（*The Confidential Agent*, 1939）は、「スリラー小説」[1]なる紹介とともに昭和二十六年に邦訳が上梓され[2]、同年には著作の翻訳が相次いでいる[3]。彼の作品は、戦後日本を風靡したサルトル、カミュらと並んで、洋書の「ベスト・スリー」[4]に君臨したという。

他方、映画批評家でもあったグリーンの作品は、しばしば映画化され世界的なヒットを飛ばした[5]。昭和二十七年二月の来日も、『情事の終り』（*The End of the Affair*,1951）[6]の劇場化のためにアメリカに向かう途中、東和映画に立ち寄ったもの。大手新聞が大々的に彼の足取りを伝えている[7]。カトリック的主題からサスペンス、メロドラマまでを横断し、小説のみならずハリウッドをも股にかけるグリーンの動向は、占領の終焉を迎える日本でも、注目の的だった。

出版ジャーナリズムの勃興とともに、大衆性・通俗性といった小説の特性は、芸術性・あるいは「文学」そのものの対概念として対置され、繰り返し双方の区分と内実が問われてきた。グリーンの日本での登場は、〝エンターテインメント〟なる概念をここに挿入することで、半ば膠着した如上のジャンル編成を、改めて問い直すことになった。

例えば林房雄は、源氏鶏太『ホープさん』（「オール読物」昭26・8）を例に挙げ、「小説を厳粛（シーリアス）派と面白がらせ（エンタテーニング）派に分類できるとすればこれは後者に属する。「頭を冷やす小説」と「心を温める小説」に大別できるとすれば、これも後者に属する。（中略）すべて大文学と言われるものはシーリアスな要素とエンタテーニングな要素を同時に含んでいる」[8]と述べている。山澤種樹は林のこの言を紹介しつつ、「面白がらせる小説――小説に於ける娯楽的要素が論じられるのはいつでものことであるが、エンタテーンという意味では、本年度特に多く翻訳出版された英国の現代作家グレアム・グリーンが彼の小説をエンタテイメント（娯楽もの）とそうでないもの、とをはつきり書き分け、明言しているところから来ているようだ[9]」と指摘している。それまで映画の用語として用いられていた〝エンターテインメント〟が戦後文学に移入された契機は、グリーンにあったとみてよい。

右の林の言は、横光利一「純粋小説論」(「改造」昭10・4)の論旨を髣髴させる。芸術と大衆の関係性は、戦前の所謂〝芸術大衆化論争〟以来の林のモチーフである。〝中間小説〟なる語の誕生のきっかけになったとされるのも、林である。興味深いのは、〝純文学〟と〝大衆文学〟の止揚にこだわり続けた林が、「厳粛」か「面白がらせ」か、あるいは「頭を冷やす」か「心を温める」か、つまりは読者の心的状態とそれを促す小説の〝機能〟に対立軸を置いている点である。

『不良少年』(筑摩書房、昭27・5)を端緒に、グリーンの作品を数多く翻訳する丸谷才一は、「エンターテインメントとは何か――グレアム・グリーンの方法」(「近代文学」昭28・3)と題する文章を発表している。ここで丸谷は、〝エンターテインメント〟に「娯楽」の訳をあてる通例を「中学生が英和辞典をひくような操作」と揶揄し、イギリスでの用例をふまえて「共同社会から肯定され、むしろ奨励さえされている明るい営み」とこの語を紹介した。林と丸谷は、生活という「営み」のなかで、様々な作品を求める読者の姿を想定している点で共通している。サルトル、カミュとグリーンが同時に「ベスト・スリー」化した現象は、当該時期の読書スタイルを考えるうえで示唆的である。

一人の作家がnovelからentertainmentまでを横断するように。あるいは丸谷がグリーンの諸作を「ノヴェルにもスリラー的な要素がきわめて多く用いられていることはいうまでもないし、エンターテインメントにも、ノヴェルのときと同じように観念が追求され、主題が展開されている」と評したように。読者は生活という「営み」のなかで、ある時は頭を冷やす厳粛さを求め、またある時は心を温める〝面白さ〟に身を委ねるだろう。林と丸谷の発言は、作品のジャンルと、その読者層を一対一で対応させることで取りこぼされてきた、彼等の心性と生活に焦点をあてている。小説読者が裾野を広げ、芥川賞の詮衡が社会的イベントとなる昭和三十年前後の文学ブームの萌芽が、ここに見て取れる。

ところで、『仮面の告白』(河出書房、昭24・7)で戦後文学の〝旗手〟の座に躍り出た三島由紀夫は、昭和二十六年末から、約五ヵ月にも及ぶ世界旅行に赴く。この旅行が、朝日新聞特別通信員の資格であったことはよく知られているが[10]、三島が旅の直前まで「週刊朝日」に連載していたのが、『夏子の冒険』(「週刊朝日」昭26・8・5〜11・25)である。中村登による映画版(松竹、昭28・1)は、『カルメン故郷に帰る』(松竹、昭26・3、監督:木下恵介)に続く第二回松竹〝純天然色〟映画として公開されている。大手資本をスポンサーに、文壇から飛躍していく三島のステップ・アップがうかがえる。

『夏子の冒険』は、週刊誌という媒体の枠内においても、またそれまでの三島の作品に照らしても、異色な作品である。試みに当時の「週刊朝日」創作欄を確認してみると、吉川英治『新・平家物語』を筆頭に、山田風太郎・山本周五郎・松本清張らの名前が居並ぶ。つまり、ほとんどが時代小説・探偵小説なのである。大衆小説＝時代小説・探偵小説という風潮がいまだ根強いなか、「週刊図書館」（昭26・2・4〜、週刊誌初の書評欄）の新設等、昭和二十六年前後の「週刊朝日」は、編集長・扇谷正造の肝煎りで小説志向を強めていた。そこで登用されたのが「現文壇のホープ、三島由紀夫氏の現代小説「夏子の冒険」[11]」であった。

ただし、「週刊朝日」読者の『夏子の冒険』評を調査・分析した中元さおりに詳しいように[12]、全ての読者が本作を〝面白く〟読んだわけではない点には注意が必要だろう。中元が紹介した同誌「「夏子の冒険」をめぐって」（「週刊朝日」昭26・10・14）には、冷ややかな読者評も掲載されている。週刊誌購買層といっても決して一枚岩ではなく、ただちにこれを大衆読者層と規定することは、やはりできない。

本作と並行して連載中の『禁色』第一部（「群像」昭26・1〜10）は、『仮面の告白』でセンセーショナルに提示された性的倒錯のモチーフを男性同性愛へと変換し、「本格的なロマン」（神西清[13]）と評された。対照的に『夏子の冒険』は、そうした三島のイメージをあえて裏切るかのような、「モダンで軽妙なタッチのロマンチック・コメディ」（木村康男[14]）として読まれてきた。小説と映画、硬と軟を横断し、颯爽と世界を飛び回る三島の姿は、さながらグリーンのようである。

芸術性と大衆性を弁別し、作品・作家・読者をそのいずれかに帰属させる操作は、もはや無効になりつつある。ではそうした状況下に、三島にはめずらしく「モダンで軽妙なタッチ」で書かれた『夏子の冒険』は、一体いかなる小説か。以下、作品に即して見ていこう。

二

或る朝、夏子が朝食の食卓で、／「あたくし修道院へ入る」／といひ出した時には一家は呆気にとられてしばらく箸を休め、味噌汁の椀から立つ湯気ばかりが静寂のなかを香煙のやうに歩みのぼつた。（第一章）

本作の冒頭部である。活字の配置や改行も含めて、太宰治『斜陽』（「新潮」昭22・7〜10）の書き出し（「朝、食堂でスウプを一さじ、すつと吸つてお母さまが、／「あ。」／と幽かな叫び声をお挙げになつた。」）を想起させる点が面白い[15]。「あたくし」という自称詞、家族で囲む朝食の食卓、修道院といった道具立てから、まずは三島と太宰が得意とした〝貴族的〟な世界観が予期される。実際、夏子は良家の令嬢なのだが、そうした設定をすかすのが「スウプ」から「味噌汁」への改変である。続く「香煙」の語はいかにも三島的で、上流階級の食卓に相応の気品を感じさせるが、椀の湯気の喩である点がふざけている。右の冒頭部は、本作に通底するパロディカルな遊び心を、まず示している。

破天荒なヒロイン・夏子はだしぬけに修道院行きを宣言し、北海道へ旅立つ。途中、恋人の仇(熊)をつけ狙う青年・毅と出逢い、熊退治の「冒険」を繰り広げる――。本作の設定とプロットについては、鈴木千祥がメリメ『カルメン』(『夏子の冒険』連載の同年に映画『カルメン故郷に帰る』が公開)[16]、映画『リラの花忘れじ』等、様々な源泉を明らかにしている[17]。本作は特定の典拠に準拠しているというよりは、〝小ネタ〟として多様な素材をモザイク状に取り込み、どこか既視感のある設定と物語を構築している。

ただし千野帽子が指摘する「スタンダードな物語なら結末に持ってくる「出家の決意」から小説が始まる」[18]作品の構成には、注意が必要だ。恋の破局・現生への幻滅・無常観……。通常のヒロインなら辿るであろう、出家へと至る段階的なプロットを本作は欠落し、夏子の修道院行きは、物語の端緒に置かれるのだ。

> 夏子はかうして或る朝のこと、突如として修道院入りを宣言したが、それには永い思慮が費やされ、いくら探してても望む男はゐない以上、神に仕へて浮世と絶縁して暮さうといふ、まことに勇敢な結論に到達したものであつた。（第一章）

右のように夏子は、あらかじめ浮世と恋愛に見切りをつけた少女として登場する。ただし、彼女の内奥には「情熱家の血」が潜んでおり、「それと同じ烈しさ強さをもつた情熱としか共鳴しない性質をもつてゐた」。この眠れる「情熱」に覚醒を促すのが、毅である。北海道へと旅立つ駅のホームで、夏子は猟銃を担いだ、輝いた目の青年を見初める。思わず夏子は「ああ、あれだわ」と叫ぶが、すると修道院行きの論理は、次のように変形される。

> 修道院……。あそこには何もないことがわかつてゐる。その何もないところへ、他の人たちは心の平和を求めに行くのであるが、夏子はさうではない。却つて何もないといふそのことが、新鮮で、刺戟にみち、冒険的なことに思はれる。一度行つたら引返せないといふことはすばらしい冒険だ。（第二章）

「情熱」に覚醒した夏子にとって、もはや修道院行きは無意味である。が、無意味で自己目的化された旅であるからこそ、それは新鮮で刺激的な「冒険」となる。「現在の日本に多少とも外地に近い雰囲気[19]」を漂わせたエキゾチックな地・北海道を舞台に、熊退治へと展開していく本作の筋立ては、いかにも冒険譚的である。しかし夏子は、運命や事件といった外在的な要因に触発され、期せずして冒険ただし、夏子と毅の「情熱」が、必ずしも相似をなしていない点に注意しよう。夏子は毅の行為を「無駄事」と見なすが、彼の旅は恋人の仇討ちという明確な目的を伴っているのだ。とすれば、この目的が果たされてもなお、毅の「情熱」は持続するのだろうか。この点については、結末部の検討とともに後述しよう。

ところで、平板な日常への反動からヒロインが北海道へと向かい、「冒険」を繰り広げる展開からは、しばしば〝戦後批判〟のモチーフが読み取られてきた。[20] が、「男の人たちは二言目には時代がわるいの社会がわるいのとこぼしてゐるけれど、自分の目のなかに情熱をもたないことが、いちばん悪いことだとは気づいてゐない」と夏子の心内が叙されているように、ヒロインの内言を借りて、「時代」や「社会」への批判意識が否定されている点は重要である。例えば、二人が合流した函館山は千歳要塞の跡地であり、「頂上全体が戦争中の砲台の跡」を遺している。

「去年の夏、アベックの一組が、中へ入つて行つて腰かけたとたんに、お尻がひんやりしたんであわてて警察に届けたんですつて、そこでお巡りがやつて来て掘つてみたら、大砲の弾丸が九十いくつも出て来たさうですよ。戦争中はここは要塞だつたんですね」／「北海道へは何度もいらしたの」　(第三章)

ノスタルジックに戦争を追想し、お気楽なアベックに言に巻き込まれるのではない。夏子は修道院入りの発心同様、だしぬけに「冒険」を志すのである。そしてこの「冒険」は、具体的な目的を持たないことによって、彼女の「情熱」と均衡する。かくして、浮世に幻滅していた少女は、冒険へと投企していくのである。

函館で合流した毅は、旅の理由を夏子に明かす。一昨年、毅は千歳のアイヌ古潭で天照大神の子孫・秋子と恋に落ちる。二人は結婚を約束するが、ある日、四本指の熊によって秋子は殺されてしまう——。

「僕はね、仇をつけ狙つてゐるんです」／青年のこの大時代な言葉には、夏子の心をそそる響があつた。／『やつぱり私の目にはまちがひがなかつた』／と彼女は思つた。この人は世間でいちばん無駄事と思はれてゐることを堂々とやりとほせる人だ。世間でいちばん馬鹿にされてゐる感情に身を捧げることのできる人だ。　(第四章)

ここでも、やはり毅の仇討ちが「無駄事」と評されている点が重要である。夏子によれば、「情熱」は無目的であることをその要件とするからである。かくして、都会の青年が喪失した「無駄事」への「情熱」を毅に見出し共鳴した夏子は、彼の熊退治に同行していく。小説は、修道院行きと仇討ちという、いかにも「大時代」＝時代錯誤《アナクロニスティック》で類型《ステレオタイプ》的な展開の下に、両者を合流させるのだ。

及する毅を受け流し、あくまでも彼の来歴に興味を向ける夏子の姿が見て取れる。本作は、占領も終焉を迎えつつあった時期の戦後的日常を、「戦争中」との対比のうえに呈示しながら、あえてヒロインから時代への関心を欠落させているのだ。

　当該時期の三島の作にはめずらしく、語り手の実体が希薄な本作の叙述は、こうした意図を裏打ちする。本作の叙述は、大部分が会話文で構成されており、特に毅が仇討ちの理由を明かす箇所（第五章～第六章）は、彼による一人称の独白が長々と続く。無論、発話を主とした平易な叙述には、週刊誌媒故の配慮、あるいは本作の映画化を見越した意図もあっただろう。しかし興味深いことに、三島は本作の連載に際して「彼らのロマンチシズムにかぶれた脱線旅行を、苦笑したり皮肉つたりしないで追つてゆかうと思ふ[21]」というコメントを寄せている。三島の発言を敷衍していえば、「ロマンチシズムにかぶれた脱線旅行」へのシニカルな眼差しを欠いた本作の叙述は、〝夏子の冒険〟がアイロニー――実現不可能な理想――であることの裏付けを与えない。本作が醸すパロディカルな〝笑い〟は、風刺的で冷笑的なものではなく、やはり「ロマンチック・コメディ」のそれだろう。

　十返肇は「若い女性の読者は、みんな自分の中に一人づつ夏子が棲んでゐることを痛感するであらう[22]」と述べ、アイロニーとしての理想ではなく、読者それぞれに孕まれた心性の体現として夏子をとらえる。十返の言をふまえて私見を述べれば、明確な目的を持たず、しかし生活への倦怠から「冒険」に投企していく夏子の造型は、〝戦後批判〟的なモチーフではなく、小説を読む〝読者〟の心性を表象している。

「だつてあの中のどの男のあとについて行つてもすばらしい新らしい世界へ行ける道はふさがれてゐることがよくわかるもの。男の魅力つてそれ以外に何があつて？ただ黙つてついてゆけば、今まで想像もしなかつた新らしい世界へつれて行つてくれるといふ魅力以外に。」（第一章）

　夏子が男とつきあうのは、恋をしているからでも、はたまた恋愛そのものに憧れているからでもない。恋愛を媒介して、「すばらしい新らしい世界」に「つれて行つて」（傍点は引用者）もらいたいがためである。奔放で、行動力に富んだ印象のある夏子だが、彼女の「新らしい世界」に対する欲動は、実は受動的である。次の引用を見てみよう。

　彼女はぼんやりと答へたが、毅の目のかがやきをたつた一匹の熊と結びつけて考へるには、比重がちがひすぎた。その間には何か物語がなければならない。……熊！　熊！　彼女が憧れてゐた「情熱」が、事もあらうに熊の形をしてゐたとは！（第四章）

仇が「熊」であることが明かされた際の叙述である。意想外の事実に戦慄した夏子は、異常な昂奮の裡に毅と熊とをつなぐ「物語」を夢想する。ここから、来歴を語る毅の一人称の独白が二章にわたり展開するが、一貫して夏子は聞き役に徹し、「さつきのお話のつづきをどうぞ」「それから」云々と、「物語」の続きを催促するのである。さらに、熊退治への同行の理由も、「この青年のあとを追つてゆくこと、それこそは本当の情熱のあとを追つてゆくことである」と叙されている。このように夏子は、毅の「物語」を聞き、見届ける、随伴者としての役割を担っているのだ。

　以後、物語は札幌の町中を舞台とした探偵小説風パート（電報解読等の謎解き要素あり）・恋のライバル登場という心理小説風パート・秘境奥地で繰り広げられる冒険小説風パート・熊退治達成からの大団円パート・そして結末部……と、目まぐるしく、類型的な話型をなぞっていく。興味深いのは、この過程で、夏子の造型もが局面に応じた変容を遂げることである。例えば、仇討ち達成後の結婚を毅がほのめかす場面は「騎士道伝説」の喩で譬えられ、恋のライバル・不二子が登場した際には、心理小説さながらに夏子の嫉妬が強調される。また、熊退治後の二人は神話的イメージ（「青年の顔は神話時代の英雄の王子のやうにみえ、夏子の顔は献身的な媛のそれであつた」）でその相貌が描写される。生活に退屈し日常を飛び出した夏子は、毅に随伴することで、数々の物語的類型を経験し、それらの類型に応じたヒロインに成り代わるのである。

三

蘭越近く、コタナイ村での激闘の末、毅のミットランド銃が熊を撃ち抜き、仇討ちは果たされた。

　二人はお互ひに、うれしいか、とか、今どんな気持か、とか訊ね合ふ必要がまつたくなかつた。ここ半月の共同生活で、夏子はほとんど毅の心の中を、その情熱の中を、生きて来たやうなものだからである。（第二十章）

「二人の恋がもつとも純粋に高まつた瞬間」である。が、大団円と恋の成就を迎えたこの局面でも、夏子の体験は「毅の心の中を、その情熱の中を、生きて来た」と評される。〝夏子の冒険〟は、彼女自身の現実的な体験としてではなく、毅の「心の中」「情熱の中」に位置することで展開されたというのである。

　ところで、この小説は結末部に、大団円を覆すコミカルなオチを用意している。仇討ちという目的を果たして以来、毅にある変容が訪れる。大時代な「情熱」に目を輝かせていた青年は、夏子と結婚後の未来を、次のように月並みに語ってしまうのである。

　「……結婚してすぐ住む家は、通勤に不便でも、郊外がいいな。門を入ると、小さな花壇があつて、白いポーチがある。月並だけど、さういふ家を建てようよ」

（第三十章）

先にも述べたように、毅の「情熱」は恋人の仇討ちという明確な目的を伴っていた。ところが夏子によれば、「熊を仕止めて以来、この人はあの輝きを失くしてしまつた」。かくして夏子は、物語の端緒となった、修道院行きを再び宣言するのである。

「夏子、やつぱり修道院へ入る」／三人は呆気にとられて、匙を置いた。三つのコーヒー茶碗から立つ湯気ばかりが、この神秘的な沈黙のなかを、香煙のやうに歩みのぼつた…。

（第三十章）

このように本作は、冒頭の一幕を再び結末部に回帰させ、作品をしめくくる。日常生活の退屈から始まった〝夏子の冒険〟は、冒険の終幕とともに再び退屈な日常を用意する。が、平穏な生活が続く限り、夏子も再び冒険を希求していくことだろう。付言すれば、夏子は日常から超脱した「新らしい世界」を追い求めるが、彼女の体験したことの多くが、既存の物語的類型の焼き直しである点は、興味深い。関連して、結末部のオチに至る以前に、次のような夏子の姿が描かれていた点にも注目しておこう。

夏子はふと横になつて、母の枕のそばへ顔を伏せた。昂奮がすでにさめかけてゐたのか、はげしい疲労が襲つて来た。そこに顔を伏せたと思つたら、体中がしびれたやうに眠くなつて、いつか寝息を立てはじめた。

（第三十章）

周囲の昂奮が未だ冷めやらぬなか、それとは裏腹に夏子の昂奮は「すでにさめかけてゐたのか」、深い眠りへと落ちてしまう。彼女が毅によそよそしい態度をとり始めたのは、この後からである。とすれば、「情熱」の喪失という毅の変貌とは別の次元で、実は夏子はこの「冒険」に飽きたのではないだろうか。物語を消費し、倦怠する夏子の姿が、ここに仄めかされているのである。

この頃よりグレアム・グリーンの熱心な紹介者となる丸谷才一は、「グレアム・グリーンのエンターテインメントとは何かと問うことは、文学とは何かと問うことと同一なのである」と述べ、彼の〝エンターテインメント〟を、次のように策定した。

結論をいそげば、グリーンは彼のエンターテインメントにおいて、ヴィクトリア朝のエンターテインメントのふたつの傾向――童話と探偵小説――のうち、童話の雰囲気を相当程度とりいれながら、探偵小説のみごとなパロディーを作りあげた。

（「エンターテインメントとは何か」）

丸谷の言をふまえていえば、三島由紀夫『夏子の冒険』の〝エンターテインメント〟としてのステータスは、これが〝エンターテインメントのパロディ〟として書かれたことによる。つまり本作は、日常の営みのなかで物語が希求され、消費された後にまた希求されるという再生産のプロセスを、〝夏子の冒険〟に託して表現している。本作が冒頭に配置した〝終わり〟は、これからも繰り返されるだろう、彼女の「冒険」の〝始まり〟だったのである。丸谷の標題を借りれば、「エンターテインメントとは何か」という文学論としての射程を有している点において、本作はまさしく三島の作品系列に連なる小説である。

付言すれば、都会からの隔絶、男女の類型的恋愛、大団円からの転回という本作のモチーフの多くは、『潮騒』（新潮社、昭29・6）の設定にも踏襲されていく。『夏子の冒険』から三年後、三島にはめずらしい向日性が物議を醸した『潮騒』もやはり、高度経済成長期前夜における「文学」のステータスを問う作となろう。

（相模女子大学）

※三島由紀夫からの引用は、初刊本を底本とする『決定版三島由紀夫全集』（新潮社）による。

注1　「〔新刊〕密使（グレアム・グリーン）」（「読売新聞」昭26・10・12）には「石炭購入の目的で英国に潜入する某国の密使を主人公に現代の国際的政治世界の不安を独自なスタイルと巧みな構成力で色濃く反映させた一種のスリラー小説」とある。

2　北村太郎・伊藤尚志訳『密使』（早川書房、昭26・10）

3　日本のグリーン受容については、岩崎正也『日本におけるグレアム・グリーン書誌』（彩流社、平22・1）に詳しい。

4　植草甚一「イギリス流行作家 グリーン氏との廿分」（「読売新聞」昭27・2・14）

5　グリーンと映画の相関については、佐藤元状『グレアム・グリーン ある映画的人生』（慶応義塾大学出版会、平30・3）に詳しい。

6　『情事の終り』の三島の映画評として、「「情事の終り」感想」（「婦人公論」昭30・6）、「「情事の終り」10の指摘」（「スクリーン」昭30・7）等がある。

7　無署名「英の新進作家来日」（「読売新聞」昭27・2・12）等。

8　林房雄「時評的書評」（「読売新聞」昭27・1・28）

9　山澤種樹「大衆小説の動向」（「文芸年鑑」昭和二十七年度版、昭27・5）

10　旅行記『アポロの杯』（朝日新聞社、昭27・10）は朝日新聞社からの刊行。

11　「お知らせ」（「週刊朝日」昭26・7・29）

12　中元さおり「三島由紀夫『夏子の冒険』の北海道――掲載誌『週刊朝日』から考える」（「近代文学試論」令4・12）

13　神西清「ナルシシスムの運命――三島由紀夫論」（「文学界」昭27・3）

14　木村康男「夏子の冒険」（長谷川泉・武田勝彦編『三島由紀夫事典』明治書院、昭51・1）
15　『獅子』（「序曲」昭23・12）にも、『斜陽』の冒頭部を髣髴させる一節がある。
16　三島由紀夫「作者の言葉」（「週刊朝日」昭26・7・29）には「むかしからメリメの小説を愛読してゐた」とある。
17　鈴木千祥「戦後メディアから読み解く『夏子の冒険』」（「日本文学誌要」平29・3）
18　千野帽子〔解説〕「熊をめぐる冒険――一九五一年の文藝ガーリッシュ」（角川文庫『夏子の冒険』、平21・3）
19　三島由紀夫「作者の言葉」、注16
20　例えば大澤真幸は、「三島のこの小説は、すでに、理想を理想として維持することの困難を表現していると解釈することができる」（『不可能性の時代』岩波書店、平20・4）と述べている。
21　三島由紀夫「作者の言葉」、注16
22　十返肇「青春の生き方」（『夏子の冒険』河出書房、昭30・2）

〔付記〕本稿は、令和五年度相模女子大学国文研究会での口頭発表に基づいている。会場の内外で御教示を賜った方々に、記して感謝申し上げる。

ミシマ万華鏡

有元伸子

「僕ってなんでだか誰からも愛されるんだよ」

――戯曲「弱法師」の一節であるが、実は三島由紀夫によるものではない。（三島作「弱法師」の幕切れは、「僕ってね、……どうしてだか、誰からも愛されるんだよ」）。冒頭のセリフは、二〇二三年にドイツ・フランクフルトで初演され、その後、高知・豊岡・東京でも上演された市原佐都子（Q）の戯曲「弱法師」である。

文楽を模してラブドールやマネキンを人が操る人形劇の形式、ドイツで活躍する俳優・原サチコによる変幻自在な義太夫的ナレーション、西原鶴真による前衛的なエレキ薩摩琵琶の音楽。これらが三位一体となり、現代的な設定のなかに暴力性やクィアな観点をにじませ、観客をそれまで体験したことのない世界へ誘った市原の現代版弱法師は大きな評判を呼んだ。

親子や性をめぐる葛藤、病と流浪・差別、終末観と救済。弱法師――しんとく丸（俊徳丸・身毒丸）の物語は、説経節・能・歌舞伎などによって伝わり続け、近代以降も折口信夫・三島由紀夫・寺山修司をはじめ小説・戯曲・マンガなどに描かれてきた。その最先端が市原の戯曲なのだが、市原は自作の中間部に三島の幕切れのセリフを含み込んだ。あたかも三島の行き着いた世界の終りの光景のその先を描くのだという宣言であるかのごとく。

古から近代能楽集へ、さらに現代へ。脈々と続く弱法師アダプテーションの結節点に三島由紀夫は存在する。

特集 三島由紀夫のエンターテインメント1

占領下・銀座の生態学 ——三島由紀夫『にっぽん製』論——

本橋龍晃

はじめに

『にっぽん製』(『朝日新聞(夕刊)』一九五二・一一・一〜一九五三・一・三一)は、朝日新聞社の特派員となった三島が、世界周遊後に『朝日新聞』で連載した作品である。

当時朝日新聞社の出版局長だった嘉治隆一は、平岡梓と同級生だったこともあって、三島に注目していた。「新しい作家」を発掘して「育成すべき立場におかれていた」嘉治は、大佛次郎と川端康成に三島の評価を聞いた。さらに辰野隆、吉川英治からは、三島に海外渡航をさせて「その第一作を以て朝日の紙面を飾って貰うようにしたら」と提案を受けた[1]。この「第一作」が、『にっぽん製』なのであった。

しかし、三島はパリに到着して間もなく、闇のドル買いにトラベラーズチェックを詐取されて一ヶ月の延長滞在を余儀なくされ、金銭的に苦しい生活を送った。活動が制限されたこともあって、『にっぽん製』はフランスの実態を主題とするのではなく、日本のフランスかぶれの人々を戯画化した作品となった。『にっぽん製』は、言わば特派員としての役割を十分に果たせなかったことによって生まれた作品なのである。

同時代には、『にっぽん製』から「パリの仮面を被った東京。作者がその仮面をどう剝いで行くか[2]」という主題が取り出された。先行論でも「純粋に日本的なものと、西洋的なものが錯綜し、その対立と融和がテーマとなっている[3]」とされ、「三島における後のいわゆる日本回帰の先蹤をなす作品[4]」と評価されてきた。

こうした評価を引き受けつつ、本稿が問うてみたいのは、『にっぽん製』が占領下の銀座を主な舞台としていることの意味である。占領期が終わって間もない時期に創作された『にっぽん製』には、占領下の銀座における人々の有り様が、微妙に屈折した形で描かれている。エンターテイメント作品として発表された『にっぽん製』が、銀座を舞台とすることで、占領期のどのような側面を映し出していたのかを明らかにしたい。

一　デザイナーと柔道家の交差

フランスから帰国したデザイナーの美子がパリの文化に強く影響されるのに対して、同じくフランス帰りの柔道家の正は、フランスにかぶれることなく礼儀や公明さを重んじる。正が美子に惹かれたのは、美子が「フランス人のばあさんの世話を焼」くのを見て、「服装はアチラ風でも、心は本当の日本女性の鑑だと思」ったからだった。正に感化された美子は「ジュドー・ド・パリ」という服を考案するが、ショーが終わると服飾やフランスへの情熱が薄れる。試合で優勝した正と美子は、旅行中、美子のパトロンである金杉が重篤になったという知らせを聞く。病床で夫婦になりたいという金杉からの要望を受けようとする美子は、金杉の死後に再婚するまで待っていてくれないかと正に提案する。正は、「はい、僕待つてゐます」と返答する。

デザイナーと柔道家が対照的に描かれていることについて、連載前の「作者のことば」では以下のように解説されている。

> 片足にゲタをはいて、片足にクツをはくといふ奇妙な二重生活は、明治以来のわが現代「につぽん」の伝統である。この小説に描かれる、柔道家の世界と、流行をつくるデザイナーの世界との奇妙な対照もその一例にすぎない。この二つの世界はどこで会ふのであらうか。それとも会はないだらうか。作者は夢と現実をつなぐ現代のドン・キホーテたる若い主人公の活躍に期待したい。（『朝日新聞（夕刊）』一九五二・一〇・三一）

「奇妙な対照」とされているように、柔道家の世界とデザイナーの世界はふつうは縁のない世界である。しかし、両者はフランスとの関わりを紐帯に結びつけられている。

戦後には、フランスの服飾が女性誌などで頻繁に取り上げられた。例えば、『婦人文庫版　ファッション・ブック』（鎌倉文庫、一九四八・一〇）では「フランスモード特集」が組まれており、『婦人生活』（一九五三・二）でも「冬のパリモード」、「パリからの直接通信教授　フランス式洋裁講座」といった記事が掲載された。こうしたこともあって、フランスの服飾を模範とする洋裁関連の仕事が女性たちの間に広まっていった。

日本発祥の柔道が国際的な広がりを見せていたのも、この時期であった。一九五一年一一月には、嘉納履正講道館長一行がフランスで開催された欧州柔道選手権大会に参加した。GHQによって武道全般が学校教育で禁止されるなどの制限を受けて、嘉納は柔道が「新しき時代にスポーツとして大衆化」（『柔道』一九四八・一二）すべきだと説いていた。世界大会での日本選手団の活躍を契機として、柔道がスポーツとして大衆に受容される基盤が形成されていっ人を繋ぐだけでなく、両者の不釣り合いな様子を可視化する役割を担っているのである。

両者の関係がどのように表現されているのか、より詳細に検討しよう。

服飾界で功名を上げようとする美子は、男たちを都合よく利用する。経歴を明かさないまま「妻を亡くして一人ぐらしをしてゐた」金杉をパトロンにして、かつて懇意にしていた阪本とも疎遠にならぬようにしながら、正とも良好な関係を保とうとするなど、複数の男たちを手玉に取っている。阪本と美子が口論になったのをきっかけに、正はこうした美子の過去を初めて知る。美子のパートと正のパートが区別されているのは、正が美子の本性に気づかないことを読者に印象づけるための仕掛けである。

とりわけ、結末部分では美子の生き方が端的に表れている。正に金杉の容態を告げる際、美子は「自分の誠実のありかを確かめかねてゐた」。金杉の申し出を承諾するか拒否するか「客観的に考へ」、金杉との結婚が「遺産」目当てではないかという「意地悪な世間」の視点を予測して自らの「打算」と「誠実」を考慮するなど、他人から自分がどう見られるかを気にしている。そして最後には、「すべては正さんにかかつてゐる」と、責任を正に押し付けるのである。

このような美子の振る舞いは、同時代の婦人雑誌におけ

たのである。

三島は服飾界について、クリスチャン・ディオールを出迎えた日本人が和服だったことに言及している。「こういう時こそ、日本人の洋装もここまできているんだぞということをみせる」べきだというのだ（「デザイナーのあり方　映画「にっぽん製」を中心に」『産業経済新聞（朝刊）』一九五三・一二・六）。三島の蔵書には、松本芳三『世界の柔道』[5]（日本出版協同株式会社、一九五二・五）もあり、「柔道座談会」（『柔道』一九五三・一）にも出席するなど、柔道界の動向も注視していた。同時代の日本人によるフランスへの眼差しを表現するために、日本によるフランスへの憧れを象徴する服飾界と、フランスで耳目を集めていた日本柔道を対比的に配置させたのである。

『にっぽん製』は美子のパートと正のパートが交互になっており、それぞれが独立した世界に生きているかのように構成されている。異なる世界にいる二人が出会うきっかけとして、正に弟子入りした空き巣犯の根住次郎が度々起こす事件がある。美子と金杉の関係に気づいた根住は、正の美子への想いのために、美子の店に盗みに入って正のために「復讐」する。この行為は、「公明正大」さを重んじる正の論理にそぐわない。しかし、生活レベルや社会的立場に差のある二人が関係を持つためには、社会的な役割に縛られないトリックスター的な存在が必要だった。根住は二

る「身の上相談」を脇に置いてみたとき、その特徴がよりはっきりと浮かび上がる。

例えば、大衆向けの婦人雑誌『婦人生活』(一九四九・一一)では、美子と似たケースが取り上げられている。相談者の女性は、「全然愛する気持にはなれ」ないが経済力のある男性と、恋愛感情こそあるものの経済力のない男性のどちらと結婚すべきか悩んでいた。回答者は「愛情はKに、生活はMに、それではこの世の中の秩序が保てない」ため、「愛情と生活の相手を一人に集中する」必要を説く。ここでは、どちらの男性と結婚するかが二者択一になっており、二人と関係を持続することは倫理的な観点から非難されている。

こうした言説と比較すると、美子の申し出は、金杉の経済力と正との恋愛を両立させようとしている点に特徴がある。遺産と恋慕をめぐる身勝手な申し出によって、正は自らの信条と美子への恋心との間で葛藤するのである。

美子のしたたかさと対照的に描かれているのが、正の「朴訥」さである。その性格ゆえに、正は「ときどきとんちんかんな返事をする」。結婚を勧める漬物屋のおかみに対して「ああ、さうですか」とだけ返答したり、唐突に「自分の糟糠の妻たるべき人」と美子に言ったりするように、恋愛や結婚についての場面でこの傾向は顕著に表れる。美子を「清純な人」と信じ込んでしまう正は、恋愛において言葉の裏に隠された意図や真実を読み取れない。さらに、美子の嘘を知ってからも「彼女の欠点をみんな許して、しかもまだ彼女を忘れ切ない自分に気づ」くほど、正は美子に恋心を抱いている。柔道の試合では美子の姿を見た途端に力を発揮しており、柔道と美子への実直な想いが作品全体を通して貫かれているかのようである。

しかし、結末部分での「はい、僕待つてゐます」という返事は、こうした前提を覆す。「公明正大」さを重んじていた正にとって、美子と金杉の一時的な結婚を許すことは、美子が正の好まない「今どきの軽佻浮薄な女」だと認めることになる。だが、「『自分は女に養はれる男ではない』」と思いながらも「この上貧しい一介のサラリーマンが、こんな贅沢な女を引つ張つてゆける」か「大した自信がなかつた」正は、自らの理念と美子の「打算」との間で揺れ動き、「沈思黙考」する。こうして口にされた「これ以上彼流にはできなかつたらうと思はれるほど、彼流の返事」とは、美子の申し出に対するはっきりとした承諾だった。この時点で、正は金杉の遺産をめぐって美子と結託することになる。

真っ先に覚えたフランス語が「これいくら?」を意味する「コンビヤン」であり、「「や、失礼」というつもりで「コンビヤン」と言ってしま」うほど、正は自分の懐具合を気にかけていた。金銭的に余裕のない正が「贅沢な女」である美子と結婚するには、自らの理念と現実との調整が必要だった。美子を非難することも説得することもできず、提案を受け入れてしまうのである。

　『にっぽん製』は、根住を媒介にして「柔道家の世界」と、流行をつくるデザイナーの世界」が交差し、読者は美子のずる賢さと正の実直さを読み取る。「公明正大」さを重んじていたはずの正が、結末で現実的かつ「打算」的な結論を出してしまうことの落差に拍子抜けするのである。

二　銀座という問題領域

　正は、どのようにして自らが「貧しい一介のサラリーマン」であり、美子を養うことができないと認識していったのだろうか。銀座の店に美子を訪ねた正は、「ひどく場ちがひなお客」だったという。銀座は、二人の境遇の違いを浮かび上がらせ、思考を規定する場所なのである。

　ここで、銀座がどのように描かれているか確認しよう。


　一名おしやれ横丁とも呼ばれる御幸通りは、銀座八丁のウェイスト・ラインである。この西洋風の美人は、長い美しい脚を新橋のはうへのばしてゐるが、あいにく京橋方面の頭のはうは空つぽだといふうはさだ。／小春日和の御幸通りの歩道を、ゆききするのはおほむね身だしなみのいい男女である。奥さん、お嬢さん、二号さん、芸妓、夕方になると出勤前のバアのマダム、ウェイトレスたち、……そればかりではなく、有名な俳優、声楽家、綽名で呼ばれる人気者の映画女優、さういふ通行人のふところをねらつて、とりすました高級洋裁店、洋品店が軒を並べてゐる。世界の一流の製品で、ここで買へないものはない。（／は改行を示す、以下同様）

　銀座は、裕福な女性たちや著名人たちの集う、きらびやかで高級感の漂う場所であった。この箇所に顕著なように、銀座に精通していない読者も想定した、銀座案内としての様相を呈している。

　空襲によってモダン都市としての相貌が失われた銀座では、焼け残った主要なデパートやビルが占領軍に接収された。しかし、一九四六年四月には復興祭が行われ、同年八月にはネオンサインが灯るなど、復興の兆しを見せた。一九五〇年に建設資材統制が解除されると高層ビルの建設が相次ぎ、街の様子は一新された[6]。ただし、物資の供給不足に加えて、不急品製造販売禁止品目の発表や物品税などによる負担が増加していたために、商業者が経営を安定させるには、朝鮮特需と物資統制の撤廃を待たねばならなかった。この間、占領軍兵士向けのキャバレー、ダンスホール、PXなどが林立した。地元の商業者の中には、こうした光景を苦々しく思っていた者も少なくなかった[7]。

　当時の銀座で高級品を購入することができたのは、限られた階層の人々だった。こうした事情もあって、作中では大衆の心意に寄り添うかのように、銀座にいる人々の裏側が暴露されている[8]。

もちろんこれらの店の本当のおとくいは、お客の女たちの財布の中味の供給者である。かれらのはうはめつたに姿を見せない。姿を見せる暇なんかないのである。／しかし、裕福さうなおしやれな紳士たちもここをとほる。ところが彼の細君は、家で古ぼけた着物を着て、秋刀魚を焼いてるかもしれないのだ。もつとも彼らだつて買物をする。十日も考へてイギリス製のネクタイを一本買ふ。おかげで奥さんはガス代を払ひそこなふ。

銀座に来る女性たちが「本当のおとくい」ではないとされ、「裕福さうなおしやれな紳士」たちもまた、実際には裕福な生活を送れていないという。ただし、「かもしれない」という推測から伺えるように、あくまでも印象であることに注意したい。憧れの地である銀座に集う人々を戯画化する語りの欲望が先にあって、それに見合う風景や実態が選び取られているのである。

このことが顕著になるのは、ファッションに関する記述である。「路傍にとまつてゐる中型のオースチン」には「洋服も靴もみんな一流品で、口の中まで一流品で埋めてゐる」紳士が乗っている。「彼の本心」は「まだ何となく銀座を闊歩するのが怖い」のだという。さらに、「おしやれな青年が女と連れ立つてゆくのを見て、へん、すかんぴんのくせに、と思ふが、自分が若いころ闊歩できなかつた街は、何だか一生よそよそしい」のだと明かされている。男性たちは、銀座に馴染むことができないのである。

女性たちは金銭を持たず、男性たちのファッションに並々ならぬ熱意を見せるのが、美子を支援する笠田夫人である。「一介の満洲浪人のおかみさんから全国長者番付に入る炭鉱主夫人にまで、居ながらにして出世した」笠田夫人は、語り手による植民地主義的な発想に基づいて、パリへの憧憬が強調されている。

ファッション・ショーが開幕する前、客の一人が「気が利かないわね。ご飯ぐらゐ出せばいいのに」と食事に意識を向けている。こうした中で笠田夫人は、自らの強い希望でショーに出演しようとするだけでなく、「お寿司はどうしたのよ」、「お腹が空いたら舞台で卒倒するかもしれないぢやないの」と怒鳴り散らす。自らの欲望に忠実な様子が、銀座に集う女性の典型的な例とされているのだ。笠田夫人は「ジュドー・ド・パリ」を着て不快に思う美子を慮ることなく、一心不乱にパリへの憧れを抱く。

彼女は目を細めて、まだ見ぬパリの夢を追った。／『パリ！　パリ！　そこではきつと朝から晩まで、しやれたことばつかり話してるんだわ。しやれた洋服を着て、しやれたものをたべて、お世辞のいい男に囲まれて……』／笠田夫人は、パリにも「生活」が存在するにすぎないことを、考へたくはなかつたのである。

実態とはかけはなれたパリの様子を夢見る笠田夫人の内面が語られた後、「パリにも「生活」が存在するに過ぎない」と、フランスかぶれが現実といかにずれているかが示されている。それは、以下のショーの場面でも同様である。

当人がそのみつともなさ(「ジュドー・ド・パリ」を来た笠田夫人のこと、引用者注)に気がついてゐないだけに、悲哀はひとしほであるが、それを笑つて見てゐるはうも五十歩百歩だと言つてよかつた。だれしもこんな笠田夫人の姿に、自分自身の姿の一トかけらを発見しないわけにはゆかない。(中略)／笠田夫人はほんたうに幸福だつた。彼女は「パリを夢みてゐる日本」そのものだつた。今の彼女は、沢庵もお茶漬も刺身も便所のにほひも、子供のころ飴が買へなくて遠慮をして見た紙芝居も、妻楊枝もおみおつけも、浪花節も講談も、義理人情も、おトリさまの金ぴかの熊手も、伊勢神宮のお守りも、何もかもすつかり忘れて、夢のやうな「パリ」の一語の中にだけ生きてゐた。

「みつともなさに気がついてゐない」笠田夫人だけではなく、「それを笑つて見てゐる」観客たちの内面が語られている。「笠田夫人の姿に、自分自身の姿の一トかけらを発見」するように、会場内の誰しもが、日頃は自分の滑稽さに気がつかない。だが、ショーをきっかけに自分への冷めた視点が生起してしまう。

しかし、笠田夫人はそうした自意識を持つことなく、過去の自分や日本での実生活、歴史などを忘れて「パリを夢みてゐる日本」そのものになる。笠田夫人を通じて描かれているのは、パリに憧れる銀座の人々には何が見えていないのかという問題なのだ。銀座は、パリや日本の「現実」や「自分自身の姿」を覆い隠す場でもあったのである。

三　占領空間の明暗

銀座の人々が見えなかった「現実」とは、具体的に何だったのか。このことを明らかにするために、冒頭を見てみよう。「二日前にパリを発ったSASの定期航空」便の前方には、「NO SMOKING」、「FASTEN SEAT-BELT」という英語の注意書きが記載されている。到着時には、「FOLLOW ME」と「背に青い灯の文字をつけたジープ」が飛行機を先導する。この時期は空港がアメリカ軍から一部返還されて「東京国際空港」となったばかりで、飛行機を先導するのはアメリカ軍の車両だった[9]。ここにはアメリカの主導によって日本とフランスの国際関係が成立していることが寓意的に表れており、占領下であることが印象づけられている。

このように見たとき、美子の物語が、占領期を想起させる場所で生起していることに気が付く。美子と金杉が蒲郡へ旅行する際に乗った列車は「何となく二三年前の進駐軍列車を思はせて、日本人にはやや場ちがひの感があるので、そのせゐか金杉と美子の指定の二等車は、外人半分日本人半分で、二人で向ひ合はせの座席を十分占領できるほど空いてゐた」という。「進駐軍列車を思はせ」る車内に、金杉と美子は溶け込んでいるのである。

さらに美子は、金杉と同居している「新宿御苑のわき」の新居から皇居方面へと向かい、ベレニス洋裁店が位置する御幸通りへと通勤している。銀座のメインストリートである中央通りをほとんど通らないこの経路は、美子が占領期をどのように生きているのかを考える上で重要である。

明治時代になってから皇室の所有地となった新宿御苑は、敗戦後に国民庭園として一般に開放されて、「文化平和国家」を表象する空間として生まれ変わった[10]。また、御幸通りは皇居側の日比谷公園や帝国ホテルから銀座の中心部を貫き、浜御殿までを結んでいる。かつて将軍や天皇が通行したことから、「御幸」という名が付けられた。戦後には「帝国ホテルに宿泊する外国人を目当てに、横文字の看板をかかげる貴金属の店が並び、国際色豊かな街並み」[11]となった。

空襲と接収によって建物が利用できなかった中央通りでは、通りの両側に露店が立ち並び、一九五〇年前後の「露店整理」まで経営が続けられた。また、銀座には「特殊慰安施設協会」（通称RAA）の事務所が設置されており、RAA閉鎖後には「夜の女（パンパン）」たちが出没した[12]。

美子の通るルートには、帝国日本の痕跡と敗戦による変化が刻み込まれている。さらに、美子が閉店後に金杉と食事に向かうのに、銀座から「日比谷交差点をわたつて旧GHQの前の暗い歩道」を通って東京会館へ向かっている。美子は帝国日本の政治的な記憶が脱色されていく中に身を置きつつ、占領期の様相が可視化されている場所で生きていたのである。しかし、美子の目には、中央通りの露店や「夜の女」が映ることはない。華やかな服飾界で功名を上げようとする美子は、銀座の暗い側面を見ようとせずに距離を置いているのである。

ファッション・ショーの会場が皇居を取り囲む「帝劇か東京会館」ではなく「資生堂二階のギャレリィ」だったことも、美子の志向が反映されている。

皇居に隣接している「帝劇」や「東京会館」周辺では、天皇プラカード事件や人民広場事件など、政治運動が繰り返し行われた。しかし、早くからアメリカやフランスのモードを日本に発信する「文化装置」[13]としての役割を担っていた資生堂は、占領軍からビルや工場が接収されることなく経営が続けられた。その中でも資生堂ギャラリーでは、一九四七年頃から本格的に展覧会が再開され、絵画や写真、モダンアートなど国内外の最先端の芸術品が集められた[14]。

資生堂ギャラリーが会場に選ばれたのは、単に金銭的な理由だけではない。皇居周辺で起きていた政治運動を回避するためだったのではないか。銀座には最先端のファッションをアピールするのに適した建物が限られており、資生堂ギャラリーが日本とパリの文化との融合を発信する上で有効な場所と判断されたのだった。

こうして美子は、占領期の政治状況に関わる場所から遠ざかる。そして、明治以来繰り返されていた、銀座における西洋文化受容の滑稽さを反復してしまう。その好個の例が、「パリ最新のモードと、最も新らしいパリの霊感にかられて」作られた、日仏文化の融合としての「ジュドー・ド・パリ」なのである。

こうした現象は、銀座全体の問題として敷衍されている。作中に登場する「カフェ・ド・ラ・ペイは、パリのオペラ座の前にある有名な一流カフェの名」を借りている。だが、「につぽん製カフェ・ド・ラ・ペイは、戦後の安普請の小さな、あまりはやらないコーヒー店」で、「ビルのかたはらに、ペンキ塗りの犬小屋みたいに、小ぢんまりと立つてゐた」。パリの文化を日本に取り入れようとしても、「安普請」の「犬小屋」にしかならない。

ただし、美子が避けていたはずの占領期の実態は、不意に回帰してくる。阪本と正を会わせるために訪れたナイト・クラブには、かつて「外人につれられて来る新橋の芸妓」ばかりだった。この描写は、進駐軍兵士と「パンパン」の関係を想起させる。こうした場所に行っていたこともあって、阪本によって秘密を暴露された美子は、正に向かって「私がパンパンなら、あなたは泥棒よ」と悪態をつく。「絶望的なはづかしさが、自分でもわからない怒り」へと転換して我を失う美子は、男たちから金銭的な援助を受けてきた自らの境遇を、無意識のうちに「パンパン」と同一視する。

銀座の御幸通りと新宿御苑を行き来する美子は、中央通りや政治運動の場から遠ざかりつつ、パリに憧れる。しかし、美子が創作した「ジュドー・ド・パリ」は不本意ながら笠田夫人に着られて、観客たちから笑われてしまう。さらには、遠ざけていたはずの「パンパン」と自己が重なってしまう瞬間が訪れる。占領空間としての銀座は、パリという「夢」と占領期日本の暗い「現実」の落差を突きつける。それだけではない。銀座に集う富裕層もまた、占領空間の負の側面と重なっているのだということを、金銭の授受を含めたファッションという「文化」を通じて提示するのである。

おわりに

日記に「日劇前、G.I.が白い紙風船をついてゐる。G.I.とパン〱」（「会計日記」一九四七・一〇・二五）[15]と書いたように、三島は銀座周辺における占領空間の風景を注視していた。

三島が帰国して『にっぽん製』を連載しはじめたのは、サンフランシスコ講和条約が締結されて占領が終わりを迎えた直後だった。GHQの撤収によって戦後復興が新たな段階へと進んでいく中で、何が見落とされてしまうのか、銀座を視座にして問うてみること。美子や笠田夫人たちを笑う読者たちには、銀座に象徴される「にっぽん」の風景を直視できるかが問われていたのである。

（立教新座中学校高等学校教諭）

注

1 嘉治隆一『人物万華鏡』（朝日新聞社、一九六七・一〇）。

2 浦松佐美太郎による『にっぽん製』初刊本帯文。引用は『決定版三島由紀夫全集四二』（新潮社、二〇〇五・八）より。

3 田中美代子『三島由紀夫　神の影法師』（新潮社、二〇〇六・一〇）。

4 佐久間保明「にっぽん製」（『三島由紀夫事典』松本徹・佐藤秀明・井上隆史編、勉誠出版、二〇〇〇・一一）。

5 「蔵書目録」（『定本　三島由紀夫書誌』島崎博、三島瑤子編、薔薇十字社、一九七二・一）。

6 『資生堂百年史』（資生堂、一九七二・六）、岡本哲志『銀座―土地と建物が語る街の歴史』（法政大学出版局、二〇〇三・一〇）などを参照。

7 水原孝『私の銀座昭和史　帝都モダン銀座から世界の銀座へ』（泰流社、一九八八・一一）。

8 一例として、吉田謙吉「街頭風俗裁断帖　銀座を中心に」（『朝日評論』一九四九・三）でも、銀座にいる裕福で着飾った女性が戯画化され、吸い殻拾いの男性たちが「今日の風俗の生態」として記述されていた。

9 田中優子「解説」（『にっぽん製』角川文庫、二〇一〇・六）。

10 河西秀哉『天皇制と民主主義の昭和史』（人文書院、二〇一八・二）。

11 岡本哲志『銀座を歩く　江戸とモダンの歴史体験』（学芸出版社、二〇〇九・三）。

12 ジョン・ダワー『増補版　敗北を抱きしめて（上）』（三浦陽一・高杉忠明訳、岩波書店、二〇〇四・一）。

13 和田博文『資生堂という文化装置　1872―1945』（岩波書店、二〇一一・四）。

14 富山秀男監修『資生堂ギャラリー七十五年史　一九一九～一九九四』（資生堂、一九九五・三）。

15 『決定版三島由紀夫全集補巻』（新潮社、二〇〇五・一二）。

※三島由紀夫の文章は『決定版三島由紀夫全集』全四二巻・補巻・別巻（新潮社、二〇〇〇・一一～二〇〇六・四）から引用し、ルビや傍点は省略した。また、旧漢字は読みやすいよう新字に適宜改めた。

特集　三島由紀夫のエンターテインメント 1

三島由紀夫「女神」論
――『婦人朝日』連載小説との関係からみえるもの――

中元さおり

1　掲載誌『婦人朝日』について

「女神」は『婦人朝日』に一九五四年八月から一九五五年三月にかけて連載された。ブルジョア階級で西洋的理想主義者の木宮周伍は、妻依子が空襲で美貌を失って以来、一人娘の朝子を理想の女性像に仕立て上げるべく育ててきた。美しく成長した朝子は二人の青年に愛されるが、だれから見ても理想的な婚約者俊二ではなく、交通事故で足に障害を負った画家の斑鳩に強く惹かれる。朝子の心の変化に周伍が気づくことはなく、俊二の不貞を知った周伍は朝子を守るべく婚約解消を言いわたし、斑鳩が母と恋人関係であったことを知った朝子の姿に周伍は女神を発見する。

三島の「女神」は、広津和郎「誘蛾燈」（一九五二年六月〜一九五四年七月）、田宮虎彦「愛情について」（一九五三年九月〜一九五四年七月）両作の連載終了と交代する形でスタートした。また、「女神」と同時に室生犀星「妙齢失わず」（一九五四年九月〜一九五五年十二月）の長期連載も始まっている。

『婦人朝日』は戦時下に一時的な廃刊に追い込まれたが、[1]一九四六年二月に復刊した。戦後に再スタートをきった同誌の編集方針は、「「恋愛による人間性の探求」「家」「世界を知る」「新時代と結婚」「幸福について」「純潔について」などのテーマをとりあげ」、「女性解放の門出にあたって、婦人の教養の向上につとめることが、朝日の出版物としての重要な責任だという考えから教養雑誌への志向[2]」をもったもので、「新時代の構築、「女性解放」を主軸として新しい女性に注目し、「教養」ある「婦人」を読者として囲い込もうとする意図[3]」があった。本稿で考察の対象とする広津「誘蛾燈」の連載が始まった一九五二年六月から犀星「妙齢失わず」の連載終了の一九五五年十二月までの読者投稿欄ページ「読者通信」を確認したところ、読者の主要層は二〇歳代から四〇歳代の働く女性や専業主婦であることが分かるが、なかには女子高校生からの投書も掲載されており、若い世代を中心とした女性が読者であったことがわかる。また、都市部はもとより農村部の読者からの投稿も散見され、戦後の「新しい女性」とされる『婦人朝日』読者層の厚さがうかがえる。

　本稿では、このような場を形成していた当時の『婦人朝日』から「女神」をとらえてみたい。特に先に挙げた同時代の連載小説である広津和郎「誘蛾燈」、田宮虎彦「愛情について」、室生犀星「妙齢失わず」において恋愛など女性が直面する問題についてどのような言説が編成されているかを確認し、『婦人朝日』における三島の小説「女神」の位置づけをおこなっていきたい。

2　同時代の連載小説
―「誘蛾燈」「愛情について」「妙齢失わず」における類型化

　まず、「女神」と同時代の連載小説「誘蛾燈」「愛情について」「妙齢失わず」についてみていく。この三作では、いずれも貧困や恋愛、労働など現実的な問題に女性主人公が直面し、困難な状況のなかでたくましく人生を歩んでいく姿が共通して描かれている。

　広津の「誘蛾燈」では、学業とアルバイトに追われる日々を助け合いながら共同生活を営んでいる三人の女子大学生―男性嫌悪にとらわれた小説家志望の伊都子、実家の没落により生活苦を抱えながら新しい恋人と幸せな日々を送るみち子、か細い体でアルバイトに励むしげ子が登場する。なかでも特に注目される人物は、勤労学生のしげ子だろう。生活と労働に疲弊していた彼女は、アルバイト先のパチンコ店の若主人清吉からしつこく迫られ、金銭的な援助とひきかえに交際する。やがてしげ子は妊娠するが、伊都子の助言と援助を受け堕胎する。恋愛に幻滅したしげ子は、バーで働き自立した生活力を身につけ、たくましく生きていく道を選択する。

　田宮の「愛情について」では、一人の女性の波乱に満ちた半生が描かれる。家族に恵まれず貧しく孤独な少女時代を過ごした美智は、やがて愛する人と結ばれるが、彼女の父親が犯罪者であることを知った恋人が突然姿を消したことにより、男性に失望する。美貌ゆえに美智に言い寄ってくる男たちは絶えないが、彼女の男性への不信感はますます強くなっていき、懸命に働き生活力を身につけていくことで、自身の不幸な境遇を乗り越えていく。やがて実直な男と結婚し、子どもをもうけ穏やかな生活を手に入れるが、夫の戦死によって幸せな日々はあっけなく終わり、シングルマザーとして再び戦後の労働市場へと歩み出していく。

　犀星の「妙齢失わず」では、シングルマザーで貧困から脱け出せない美貌の女が主人公である。若くして夫と死別した明子は、自分の力だけでは子どもを育てることができず、里子に出す。懸命に働き子どもを引き取ろうとするが、里親からこれまでの養育費を請求され多額の借金を抱え、さらに愛人関係を持ちかけられたことから、男性不信の思いを強くする。そのようななか、看護婦見習の仕事を通じて出会った月本という裕福な男が金銭を援助し、明子は借金問題を解決することができたが、子どもは食中毒であっけなく亡くなってしまう。明子と月本は金銭によって結ばれた関係ではあったが、月本の誠実な愛情を知り、新たな人生に向かっていく。

いずれの作品も、戦後という時代状況を背景に若い女性が貧困状態におかれ、懸命に働く姿が肯定的に描かれている。さらに、男女のあいだに金銭が介在し、性的欲望が向けられることによって強い男性不信の思いを抱くようになることも共通点としてあげられる。このように数年の間に連載された小説のあいだで設定の重複が生じているのは、『婦人朝日』の誌面構成の方針である「恋愛による人間性の探求」や「幸福について」という方向性が強く作用したものと考えられ、読者の期待にこたえる物語展開であったと思われる。設定の重なりは誌面にマンネリズムを引き起こすことになりかねないが、〈若い女性—貧困—男性不信—労働による自立〉という類型化されたストーリー展開を保持しながら、さまざまなバージョンで変奏される小説への期待が『婦人朝日』読者に共有されていたともいえるだろう。

とりわけ広津「誘蛾燈」と田宮「愛情について」は読者の強い支持を集めた。「誘蛾燈」は全二十六回、二年四ヶ月にわたる長期連載で、最終回の「社告」では「珍しいといえば、連載中に東宝で映画化されたということもあり、これは一重にこの小説が圧倒的に好評だったことを示しております[4]」と異例の人気であったことが記されている。また、同じく最終回を迎えた「愛情について」も「最初は三回程度の連作小説」の予定で始まったが、「読者の評判に応えて、結局全十回におよぶ長篇小説にまで発展しました」と「社告」で振り返っている。ちなみに、「愛情について」は連載終了後の一九六一年四月に映画化されている[5]。

〈若い女性—貧困—男性不信—労働による自立〉という類型化がみられるこの時期の『婦人朝日』の連載小説からすると、三島の「女神」は異色作といえる。三島作品として「女神」を読んだ場合、ブルジョア階級のお嬢様を主人公にした作品は珍しくはないが、『婦人朝日』という場に布置してみると、他作品との違いはあまりに鮮明である。「誘蛾燈」「愛情について」「妙齢失わず」では、貧困と男性不信が若い女性の人生にたちはだかる障壁となり、労働による自立が前景化され、現実的な問題を抱えて生きていく女たちが描かれているが、「女神」はこれらの連載小説とは明らかに別の潮流にある作品だといえるだろう。

「女神」の第一回は、木宮周伍と彼の美しい娘朝子がつれだって銀座を歩き、パラソルやサングラスなど舶来ファッションやフランス料理へのこだわりを語るグラビアさながらの華やかな場面が展開する。ほかの連載小説が反復して描いてきた貧困とはまったく無縁の、洗練されたファッショナブルな雰囲気に満ちた小説の始まりは、『婦人朝日』という誌面においてきわめて新鮮な印象を放つ。武内住代は同誌で紹介されるファッション記事が、「比較的庶民的な洋装が中心」であったとし、「女神」で朝子が身にまとうファッションは「ほとんどの読者にとっては高嶺の花だったに違いない。この点からすれば、本作はまだ三島が連載女性誌の実相を十分に把握しきれていなかったことを示すだろう[6]」と指摘しているように、本稿で取り上げるほかの連載小説とくらべても、「女神」におけるファッションの高級志向は桁外れだ。「誘蛾燈」「愛情について」「妙齢失わず」の三つの連載小説では、女性主人公たちは貧困のために新しい洋服をあつらえる余裕はなく、いつも同じものを身につけている。特に「誘蛾燈」では、主人公たちが女子大学生という年代ゆえに身なりを気にする描写が散見されるものの、着古した洋服を身につけた苦学生としての側面が強調されている。例えばパチンコ店でアルバイトしているしげ子は、ワンピースを何着も持っている同僚の女の子に「あんたいつでも同じスカートを穿いてゐるのね」(五)とばかにされ、惨めな思いをする。清吉はそのようなしげ子の心理を見越してか、洋服を仕立てるための援助を何度もする。

　無論心の底には相変わらずうしろめたさが淀んでゐない事はなかつたけれども、併し新しいワンピースを着られるといふ嬉しさは、彼女にはもう抵抗出来ないものであつた。彼女は清吉に誘はれると、いそいそとして雑司ヶ谷の洋裁師のところに出かけて行つたのである。「わたしは狡い女なのか知ら」と彼女は心の中で呟いたりした。（八）

「新しいワンピース」の魅力は、しげ子の心をとらえる。洋服を次々と仕立てることのできる清吉の資金力は、しげ子にとって大きな誘惑となった。彼女はその代償として清吉と肉体関係を結ぶようになっていく。『婦人朝日』の読者もまた、グラビアページやファッションの紹介記事を通して欲望が喚起されていてもおかしくはなく、しげ子の行動になかば同情しながら読んだのではないだろうか。しかし、このような金銭と肉体の交換は、やがて望まない妊娠と堕胎という問題をしげ子にもたらす結果となる。

「女神」において、銀座や軽井沢を舞台に、父が命じるままに西洋仕込みの華麗なファッションに身を包む朝子の姿は、それまでの連載小説の登場人物たちとくらべると異例のキャラクターである。連載の前半において華美で都会的な生活スタイルが詳細に書き込まれた「女神」は、『婦人朝日』で反復された〈若い女性―貧困―男性不信―労働による自立〉という類型化された小説パターンを踏襲していない。美しく華やかな朝子の恋愛の成り行きは、当時の女性読者にとって期待されたものか、あるいはブルジョワ的な物語として共感が得られなかったものかはわからないが、いずれにせよ、広津や田宮、犀星といった文壇の大御所たちの連載小説と明確な差別化をはかった点において、まだ若手であった三島の野心がうかがえる。

3　「女神」「妙齢失わず」
連載開始号から考える

「女神」と同時に連載がスタートした犀星「妙齢失わず」の第一回では、寡婦となった明子が金銭援助を実家の父親に頼む場面が描かれる。養育費の支払いが滞っている明子は、子どもを預けている里親・山名の料理店で「下町あたりの品のない客の間に挟まれて、おそくまで酒の対手を否応なしにさせられて」おり、借金のカタに明子の身体は危機にさらされている。しかし、実家の父親も事業の失敗で経済的余裕はなく、解決の糸口が見つからず、明子は貧困のなかで途方にくれる。同時に連載がスタートした「女神」と「妙齢失わず」は、どちらも初回で父と娘の関係が描かれるが、見事なまでに境遇が対照的なのだ。

「女神」と「妙齢失わず」の連載が始まった一九五四年八月号の『婦人朝日』では、山川菊栄による「女工哀史はまだ多い」と題した評論が掲載され、同年六月に発生した近江絹糸での人権争議について、「日本民主化をはかるバロメーターとして全世界の注目の的となっている」と論じ、単なる労働争議にとどまらず、基本的人権問題として戦後民主主義を推し進めていくために重要な争議であると位置付けている。[7] ほかにも読者による投稿「読者ルポ　数寄屋橋公園の人々」が目をひく。実際に靴磨きとして働く筆者の目を通して、銀座の数寄屋橋公園に集う貧しい人々の生活が克明に記され、戦争の傷跡がまだ生々しく残っていることを伝えている。このルポは特集記事ではないが、十六ページにもわたる大作で読み応えがあり、同号の目玉記事である。実際にこのルポへの反響は次号の「読者通信」に複数寄せられ、「華やかな都会の蔭や裏に、おき忘れられた人達、そして漸くその日を過している、根は純真なあの人達にこそ、幸福な住みよい世の中が来なければならないはずなのに……」(東京都・公務員・二十二歳・女性)と反響が大きかったようだ。その一方で、同月号の「女神」第一回では、銀座はブルジョア父娘が贅沢な舶来文化を享受する場として印象的に描かれている。同号の読者にとっては、銀座という都市空間が孕む「華やかな都会」とその「蔭や裏」という戦後社会の明暗を強く意識せざるを得ない誌面構成だったと考えられる。

このように『婦人朝日』という場から考えると、「女神」が展開する世界観は他の言説からはあまりにもかけ離れたところにある。しかし、「女神」第一回では、朝子の華やかな美しさの裏に不幸が潜んでいることも語られる。「周伍の女性美に関する研究には一種偏執的なもの」(二)があり、彼の「崇拝と信仰」によって妻依子の美は完成されたが、空襲によって彼女の美貌は傷つけられ、それ以来人前に出ることを拒絶する。ブルジョア階級の木宮家でも、戦争で負った傷は深く残り続け、いまだ癒えることはない。戦争によって悲劇がもたらされ、戦後十年近くたとうとする現在においてもいまだ癒えることがない点においては、『婦人朝日』の言説空間とのつながりをみることもできるだろう。

4 『夫人朝日』における純潔問題
――「誘蛾燈」をめぐる状況

本論の冒頭でも触れたように、『婦人朝日』は戦後に再スタートをきった際に、誌面構成の方針をいくつか設定したが、ここでは特に「恋愛による人間性の探求」と「純潔について」に着目したい。男女同権の新しい時代の幕開けにともない、自由恋愛への期待が高まったことは当然だが、それと平行して純潔をめぐる問題もクローズアップされてきた。一九五〇年代にはロマンチック・ラブ・イデオロギーが提唱され、女性誌を中心に純潔を重んじる性規範が浸透したとされる。もちろん『婦人朝日』もその枠組みのなかに位置づけることができそうだが、いくつかの記事と連載小説を手がかりに考えてみたい。

「女神」の連載開始一ヶ月前の一九五四年七月号では、串田孫一のエッセイ「純潔ということ」が掲載されている。串田は、純潔教育が「一種の性教育に集中されてしまう傾向があるのでしたらば、それはつまらないことのような気がします」と問題提起し、純潔を性規範の概念に限定せず、「自分を偽らないこと、自己ぎまんに陥らないことと考えたい」とし、精神の清潔さを保ち続ける努力が純潔を意味すると論じている。このような串田の主張は、未婚の若い女性たちに求められていた性規範としての純潔とは異なり、純潔を肉体の問題のみに求めることの非現実性を反映したものだろう。したがって、この時期の『婦人朝日』には、性規範としての純潔を重んじる傾向は弱まっていたと言えそうである。ただ、同号では串田の評論のすぐあとに「痴漢はあなたのそばにもいる」という特集が組まれており、女性が常に性的な欲望の危険にさらされていることが警鐘されていることも見逃せない。この特集は、実際に女児が被害者となった性犯罪をきっかけにしたもので直接には純潔主義とは結びつかないが、性的欲望が危険なものとして強調された記事といえる。

では、本稿で取り上げる一九五二年から一九五六年にかけての連載小説では、純潔はどのように扱われているだろうか。ここでは、特に広津の「誘蛾燈」を中心に考えていく。

「誘蛾燈」で、女子大学生のしげ子が金銭的なサポートと引き換えに清吉と肉体関係を結んでいることは先にも述べたが、彼女は彼を愛しておらず、駆け落ち先から逃亡する。しかし、その直後に妊娠していることに気づき、結婚するか、未婚のままで育てるかどちらを選ぶにせよ「自分の生きて行く道が暗く狭い穴蔵に閉ぢ込められるやうに決定されて行く」（三十一）ような気がして、友人の伊都子に相談する。伊都子は「それなら人工早産の外ないぢやないか」と中絶という選択肢があることを提案し、「あなたが何を望んでゐるかといふ内心の声に——何にも濁らされない内心の声に耳を傾ける事」（三十三）が一番大切で、勇気をもって自分の人生のために判断をくだすよう説得する。

　伊都子がこのように中絶を強く勧める背景には、一九四八年の優生保護法の制定・公布施行と、一九五二年の優生保護法改定で事実上中絶が自由化されたという社会の変化がある[8]。彼女たちが中絶を「人工早産」と表現しているところに後ろめたい気持ちがにじんでもいるが、戦後になってようやく人生の決定権が女性自身に与えられことを象徴するものとして、小説内では積極的な選択肢として語られる。柳井宏夫はこの作品において「「人工早産」とは同時代的にきわめて大きな問題だった」とし、「「女大学生」が「人工早産」をするという同時代においてきわめて新しい構想」であったと評価している[9]。

　妊娠という事態が「いたづら娘のなれの果て」（三十一）におきたと自責の念を抱くしげ子に対して、伊都子は「あなたの手前勝手に、あなたの希望するやうに、考へて好い」（三十一）と励まし、病院に付き添う。女性同士の連帯で困難を乗り越えていく様子は、この小説の読みどころでもある。その一方で、連載中に同時に進められていた映画制作の方では、中絶問題は削除され、しげ子と清吉の関係が好ましい男女交際へと変更されるという事態が起きていた。作者の広津によると「今日の映画の道徳的約束では、男から逃げて人工早産をするといふ所が困るといふのである」、「それで映画は原作とは離れて、映画の結末をつける事になつたのである[10]」と明かし次のように述べている。

> 併し小説は映画のやうな結末と反対の結末になるところに、作者が狙つたテーマがあるので、そこをよく読み取つて頂きたいと思ふ。無論作者は人工早産に無条件に賛成するものではないことは、断るまでもなく読者にお解りの事と思ふが、人生の躓きや失策や打撃にぶつかると、直ぐ「人生のワナ」に落込んでそこから脱けられないものと思つたり、拭い去ることの出来ない汚点が生涯身についてしまつたと思つたりして煩悶する若い婦人が未だに多いので（婦人雑誌や新聞の身の上相談欄には実にさういふ訴へが多い）、そんな事はなく、人間はいつでも立上れるものであるといふ事を、この小説で書いて見たかつたのである。

しげ子の中絶問題こそが「作者が狙つたテーマ」であっ

たと述べているように、この小説では、彼女たちに純潔であることは求められていない。広津によれば、女性たちの関心はもはや純潔を守ることではなく、さまざまな「人生のワナ」を乗り越えることにあった。この作品では望まない妊娠が「人生のワナ」として設定され、この困難を克服する方法として、戦後になって優生保護法によって部分的に認められた妊娠中絶が描かれているのだ。

　この時期に、女性誌の連載小説と映画で純潔や中絶をめぐる規範意識が大きく異なっていたことは興味深い。『婦人朝日』の読者層や数とくらべれば、映画の方がはるかに多数で多様な観客が想定される。それにともなって、純潔を求める性規範がより強く映画というメディアにはたらいたと考えられる。逆に、『婦人朝日』では、女性たちが直面している現実的な問題を積極的に取り入れ、性規範の変化に敏感に反応した広津の作品が読者の強い支持を得ていたのだ。「誘蛾燈」をめぐるこの事態をみる限り、『婦人朝日』は、読者をとりまく現実を誌面にかなり反映しており、純潔を推し進めるようなものではなかったと言えよう。

5　『婦人朝日』における「女神」

　三島の「女神」連載が始まる直前に『婦人朝日』誌上でこのような事態が起きていたことを考慮すると、作中で周伍が娘の婚約者俊二に向けて「私は純潔なあんたに朝子をあげるつもりだつたんだよ」（八）と語る言葉は、「誘蛾燈」にくらべあまりに保守的だ。「純潔?」「まさか僕を中学生だと思つていらしたわけぢやないでせうね」と俊二は苦笑し、愛人関係について「金銭的に型をつけますよ」と言い放つ。「軽薄な青年の口から出るこんな卑しい言葉遣ひに慄然とした。彼は俊二の「人格」を見下した」と語られるように、俊二は周伍をひどく失望させた。愛人問題を金銭で処理しようとする俊二は、いかにも銀行マン一家の息子らしい合理主義を体現している。

　ところで、男女関係に金銭を介在させる男への失望は、『婦人朝日』の連載小説では女性たちを通して頻繁に登場してきた問題だが、「女神」では朝子ではなく父親の周伍が直面する問題となる。理想的な美に執着し「自分の観念のために現実を変形させる」（二）ことに執心してきた理想主義者の周伍によって純潔主義が求められていることは、純潔はもはや現実離れした観念的な問題としてしか描けないということでもある。

　ここで、「女神」の最終回の改変について触れておきたい。『婦人朝日』掲載時の初出版では、怒りで取り乱した周伍が俊二を射殺するという劇的な展開だったが、三ヶ月後に単行本化された際[11]には、射殺という事態は削除された。俊二を追い出した直後に周伍が心臓発作を起こして倒れ、朝子に介抱されるという展開に変更された。初出版では周伍と朝子の前には血塗れの俊二の死体が横たわったままであったが、単行本版では木宮家から俊二を追い出した後に周伍が心臓発作で倒れ朝子に見守られて目覚めるという結末へと書き換えられ、朝子と周伍だけが残された空間にはまるで世界から隔離されたかのように静謐さが漂い、周伍が求めてきた理想の世界が顕現している。武内論では、初出時の展開は「純潔主義の前景化」で「女性読者に照準を合わせた結果だと考えられる[12]」と指摘しているが、広津の「誘蛾燈」で中絶問題が大きく扱われていたように、『婦人朝日』読者は純潔主義より先の現実的な問題に関心が向いている。周伍が俊二を殺害したのは、朝子への周伍の愛が「不純な」「不潔な執着」（八）だと俊二から非難されたからでもあるが、まるで不貞を罰するかのように俊二を射殺する初出版の展開は、これまでの『婦人朝日』の連載小説が描いてきたものとは異なる。先にも論じたようにこの時期の『婦人朝日』連載小説における性規範はもはや純潔主義にはなく、肉体関係を結んだ後に訪れるもっと現実的な局面に関心が寄せられている。そうすると、周伍が俊二を殺害する結末は、読者が身をおいている現実とはあまりにも離れすぎていたと言えるだろう。この結末に対する読者の反応は誌面には登場しておらず明らかではないが、「女神」が映画化されなかったことからも、読者の支持はあまり得られなかったものと推測できる。

単行本化に際し、理想主義によって築かれた木宮家から俊二は追放され、外の現実世界へ戻っていくかのように書き換えられたことは、卑俗な現実の侵入を周伍が拒絶したことを意味している。周伍と朝子の二人だけが残された木宮家は、現実から隔絶された美の観念的世界へと変貌しており、ここにおいて純潔をめぐる問題は、現実とは切り離され、周伍の美的観念を支える次元のものへと転化したからこそ、周伍に希求され、朝子の純潔が死守されたのではないだろうか。それとともに、近親相姦というタブーがほのめかされた結末は、彼らが現実的次元に身を置くのではなく、美的観念のみによって成立する世界へ転移したことを意味していよう。単行本版での結末の書き換えによって、『婦人朝日』連載小説に共有されていた現実的次元という物語の制約から離脱し、美が支配する観念的世界へと昇華させた三島の手腕は評価できるだろう。「女神」は、当時の『婦人朝日』が形成していた純潔や恋愛をめぐる言説とは位相を異にしたものとして、『婦人朝日』の連載小説のなかで特異な存在感を放つものと言える。

（山口大学）

注1　『婦人朝日』は一九三八年十月創刊、一九四三年五月に廃刊となった。

2　朝日新聞百年史編修委員会編『朝日新聞社史　昭和戦

後編　昭和二〇年～昭和六四年』（朝日新聞社、一九九五・七、一〇四）

3　井原あや「〈再生〉するジャーナリズム／反発する太宰治―復刊第一号「婦人朝日」から「貨幣」を読む―」（『大妻国文』三十六号、二〇〇五・三、一一四頁）

4　「社告」（『婦人朝日』、一九五四・七）映画は一九五三年十月に公開。監督／山本嘉次郎、出演／杉葉子、八千草薫、池部良　他、配給／東宝。

5　映画公開時のタイトルは「別れて生きる時も―愛情について―」。監督／堀川弘通、出演／司葉子、高島忠夫　他、配給／東宝。

6　武内佳代「三島由紀夫と『婦人朝日』―『女神』の憂鬱」（『日本古書通信』一〇六五号、二〇一八・四、十六頁）

7　この近江絹糸争議を題材にして、後年三島は小説「絹と明察」を一九六三年一～十月にかけて『群像』に発表している。

8　荻野美穂『「家族計画」への道　近代日本の生殖をめぐる政治』（岩波書店、二〇〇八・十）、藤目ゆき『性の歴史学　公娼制度・堕胎罪体制から売春防止法・優生保護法体制へ』（不二出版、一九九七・三）を参考にした。

9　柳井宏夫『性格破産者の系譜―広津和郎論―』（鼎書房、二〇一二・七、「第六章　「誘蛾燈」論」、一二二頁）

10　広津和郎「あとがき」（『誘蛾燈』角川書店、一九五六・二月）

11　単行本初刊は『女神』（文芸春秋新社、一九五五・六月）

12　武内佳代「性規範からの逸脱としての『純白の夜』『恋の都』『女神』『永すぎた春』―一九五〇年代の女性誌を飾った三島由紀夫の長編小説―」（『ジェンダー研究』十四号、二〇一一・十二、一二六頁）

※三島由紀夫「女神」本文の引用は『決定版三島由紀夫全集五』（新潮社、二〇〇一・四）、広津和郎「誘蛾灯」本文の引用は『誘蛾灯』（角川書店、一九五六・二）に拠った。

特集　三島由紀夫のエンターテインメント 1

三島由紀夫『幸福号出帆』論

――昭和三〇年の「新聞小説」――

木谷真紀子

はじめに

三島由紀夫『幸福号出帆』は、昭和三〇年六月一八日から一一月一五日まで「読売新聞」に連載、翌年一月、新潮社から単行本として発行された。同時代評では「常識的な制約を意識しすぎてカチンコチンになった結果、力の三分の二しか出せなかった」「三島氏の中間小説における腕力はあんな生暖かいものではない。次の新聞小説に期待しよう」[1]とされ、その後の研究でも、村松剛の以下の文言が引用されることが多い。

日記の体裁を取った文学論集を、三島は昭和三十年の十一月に『小説家の休暇』と題して発表した。

休暇とみずからいっているように、『沈める瀧』を書きおわってからの彼は、しばらく次の長編小説には手をつけていない。『幸福号出帆』という娯楽用の読物を読売新聞に連載したほかは、ブラジルを舞台とした『白蟻の巣』、『フェードル』をもとにした『芙蓉露大内実記』等の戯曲と、若干の短編を書いたのにとどまる。[2]

遠藤伸治が、この村松の言を「『金閣寺』を発表し、社会的名声を得、ジャーナリズムから脚光を浴びるようになる時期の直前の空白期を埋める単なる〈娯楽用の読物〉と位置づける」[3]とまとめたように、翌三一年は、一月号から『金閣寺』（「新潮」昭和31・1～10）と『永すぎた春』（『婦人倶楽部』昭和31・1～12）の連載を開始、四月には一連の五作品を収めた『近代能楽集』（新潮社）発行、一二月号には同時代から「佳作」[4]と名高い短編「橋づくし」（「文芸春秋」）と文学座創立二〇周年記念公演のために書かれた『鹿鳴館』（「文學界」昭和31・12）を発表、「鹿鳴館」は直後からの全国公演でも好評を博す。[5]『金閣寺』は、三島由紀夫の代表作であるだけではなく「戦後というひとつの時代の記念碑」[6]とされ、『永すぎた春』が流行語かつ同年のベストセラー[7]になり、『近代能楽集』の諸作品や『鹿鳴館』も戦後を代表する戯曲として現在まで上演が重ねられている。[8]つまり三一年は、三島文学の中で最も高い評価を受ける作品が相次いで発表された一年といえる。それに対し、三〇年は、知られていない作品が多い。

鹿島茂は『幸福号出帆』について、「小説というものはどのようにして書くべきか、三島由紀夫が我々に残してくれたお手本のような作品[9]」としつつも、「三島由紀夫は、批評家がまず絶対に読まないことが初めからわかっている大衆小説という枠組みを使って、おおっぴらに小説的実験を行ってから、その成果を純文学作品に投入している」、「『幸福号出帆』は、とりわけ」「『鏡子の家』の方法を用意している[10]」とする。つまり「従来ほとんど研究対象とされてこなかった[11]」『幸福号出帆』は、『鏡子の家』という純文学との関連で、その価値を見出されてきたといえるだろう。

ここで、三島自身の昭和三〇年の作品に関する文言を振り返りたい。『沈める滝』は、「中央公論」の新企画として「百枚という中篇程度の長さのものを四回載せて、そして四回で完結するという」「今までの連載と違」う「新しいやり方」で一月号から四月号まで連載された[12]。連載が終了した昭和三〇年四月号に、「新しい長編小説―その発表形式と作者の態度―[13]」という座談会が掲載されたことも、その形態の特異性を示していると言える。また「芙蓉露大内実記」(昭和30・11、歌舞伎座初演)は、三島歌舞伎と称される三島由紀夫の歌舞伎作品の中で唯一再演がないが、三島が「いちばん感動した戯曲」(「戯曲を書きたがる小説家のノート」「日本演劇」昭和24・10)としたラシーヌ『フェードル』に拠っており、三島は後になっても「『大内実記』の評判が悪かったの、どうしてもわからない。(略)僕は自画自賛みたいだけど、フランスにあの歌舞伎を持って行けばいい、と思うんだな」(三島由紀夫　中村歌右衛門対談「マクアイ・リレー対談」「幕間」昭和33・5)と述べていた。長く愛着を示したのは『幸福号出帆』も同様で、連載から約四年後の『鏡子の家』に『幸福号出帆』の舞台となった晴海や勝鬨橋を再び描き、その取材で再訪問した際には、『幸福号出帆』を「完全に失敗した新聞小説であるが、自分ではどうしても悪い作品と思へない」(「三月十日(月)」初出タイトル「日記」、単行本発行時『裸体と衣装―日記』「新潮」昭和33・4～34・9)としている。つまり、三島自身はこの時期を本来の意味での「休暇」と位置づけていたわけでなく、寧ろ意識的に小説家としてさまざまな新しい挑戦をしていたのではないだろうか。それが「沈める滝」であり、新聞小説である『幸福号出帆』であり、フランス古典劇を日本の歌舞伎にする「芙蓉露大内実記」であった。だからこそ時を経ても、それら評価を得られなかった作品への思い入れを表したと考えられる。

本稿では、『幸福号出帆』を、『鏡子の家』との関連性からではなく、一つの作品として論じる。その方法として、三島にとって数少ない新聞小説であることに着目したい。三島が本作に描いた事象は、当時どのような意味を有していたのだろうか。同時代の報道を分析し、三島が新聞小説で試みた新しい挑戦を明らかにするのを目的とする。

一　『幸福号出帆』とオペラ・ブーム

連載開始四日前の六月一四日、「読売新聞」一面に「次の連載小説　幸福号出帆　三島由紀夫　画　岩田専太郎」という見出しの記事が掲載された。紹介部分では、

十八日から三島由紀夫(みしま・ゆきお)氏が登場します。「仮面の告白」から「潮騒」に至るまで戦後の文壇に華麗にして鮮烈なページを刻した三島氏についてはいまさら紹介の要もありませんが、同氏が始めて世に問う本格的な新聞小説には、従来の定型を破った清新にして香気あるロマンが期待される次第です。
　さし画は第一人者岩田専太郎氏が担当します。三島氏とのコンビによる新境地の開拓にこれまた大きな興味が寄せられます。[14]

と告知している。言うまでもなく岩田専太郎は、挿絵画家の第一人者であり、告知記事にも岩田の描いた女性の絵がある。三島は、一二七年一一月一日号から翌二八年一月三一日号まで、『朝日新聞』に「につぽん製」を連載しているため、『幸福号出帆』は三島にとって最初の新聞小説ではないが、この記事は「岩田専太郎の挿絵で三島が初めての新聞小説を発表する」ようにも読め、新聞社として告知に力を入れていたのが感じられる。

『幸福号出帆』は全二一章あり、それぞれに章題が付されている。全集でも文庫本でも、一行空きになっている部分が一日の掲載分を示す区切りで、全一五〇回にわたって連載、七月から一一月まで、連載中各月の一日の冒頭には、登場人物が紹介された。[15]「幸福号出帆」のあらすじをまとめたい。オペラ歌手を夢見る山路三津子は、異父兄で混血の敏夫、母・正代とともに月島に住み、勝鬨橋を渡っての徒歩通勤で銀座のデパートに勤めていた。ある日、「ソプラノ歌手　コルレオーニ・歌子さん　イタリア人亡夫の三千万の遺産を承く」という新聞記事を見つけた正代は、敏夫と三津子を伴い渋谷神山町の歌子の家を訪ねる。歌子の屋敷には、バス歌手で六人家族の大川、アルト歌手で老嬢のゆめ子、バリトン歌手の伊藤と妻、テノール歌手で歌子の恋人である若い独身の萩原が住んでいた。しかし山路一家が住むことになり、ゆめ子が追い出され、三津子は歌子に歌唱指導を受け始める。歌子は三津子を加えて〈帝国オペラ協会〉を設立、第一回公演「椿姫」では紆余曲折を経て三津子が主役を務めることが決まった。しかしドレスを着てのリハーサルで、三津子と萩原がキスしているところを目撃した歌子は激怒し、自分が主役を演じるという。三津子は、権力を持つ人間の一存で全てが左右されるという〈芸術〉の性質や、三津子を守ろうとしない萩原に絶望。

歌子の五百万円を持ち出した敏夫に誘われるまま二人で家出をし、人目を忍んで「本物のオペラの生活」を始める。敏夫は盗んだ金で一五〇トンの船を買って「幸福号」と名付け、それを元手に仕事をしようとするが、敏夫の愛人で、銀座のレストランのマダム、房子に見つけ出されてしまう。実は房子は、香港に拠点を置く密輸団のボスであるアメリカ人ハワードの情婦で、密輸の東京支部を任されていた。房子は三津子と敏夫を密輸団に誘い、三津子はそのために、税関に勤める敏夫の同級生・富田を誘惑する。富田を引き入れたことで気が大きくなった房子と敏夫は、ポーカーで一千万円以上の損益を出してしまい、ハワードに露見しないよう、密輸団の張のアイデアで、砂糖の横流しをしようとする。決行の夜、気を紛らわせるため、大川や伊藤、萩原も誘い、三津子を主役に、房子の経営するイタリア亭で「カルメン」を演じることにした。しかし敏夫が砂糖を運び終え、成功したと思った矢先、岸から手を振る富田に気づく。富田は、彼らの計画が全て警察の知るところとなったと告げ、密輸で貯めたお金を全て三津子に渡し、逃亡を勧め、三津子と敏夫が幸福号で旅に出る。後の歌子と正代の会話から、敏夫がコルレオーニと歌子の子で、三津子とは血縁のないことが明かされる。二人は、敏夫と三津子がそれを知らず「兄妹愛、美しい清らかな愛、永久に終りのない愛」を貫くことを想い、敏夫と三津子が旅立ったとされる晴海で、「永久にオペラのつづく国へ行った」と語り合う場面で終わる。

『幸福号出帆』の作品内時間は、既に九内悠水子氏が指摘しているように、昭和三〇年の梅雨入り前に始まり、一一月に帝国オペラ協会第一回公演「椿姫」の上演、三一年一月に幸福号を使ったサントニンの密輸、砂糖の〈密輸〉計画、四月一五日のその失敗と、後日談で終わる[16]。三島の創作ノートにあるように、連載第一回から八回が月島、九回から六五回が歌子邸、六六回では家出をした敏夫と三津子の生活が始まるが、「機帆船幸福号」という章題が付されているように、幸福号の購入から密輸にまつわる内容で、「房子の周辺」で作品が展開していく[17]。歌子邸の場面は、「ホテルのような一つの大きな場所に様々な人生模様をもった人たちが集まって、そこからストーリーが紡ぎ出されるという」「グランド・ホテル形式に基づいて」いる[18]。が、屋敷のある渋谷神山町に関しては、ワシントン・ハウス[19]について僅かに言及されるのみで、洗濯物を干す屋上からの景色も描かれない。一方、三津子が勤務するNデパートの屋上で始まる冒頭で、三津子は銀座から勝鬨橋の対岸まで見渡し、帰宅後も山路家の住む月島が家の周辺まで細かく描写される。

ここで、三島が最初に書いたと思われる創作メモの内容をまとめたい。仮題は『歌と黄金』である[20]。

・オペラ好きで月島の倉庫番をしている男やもめ政一郎は、一人娘モリ子を「オペラのプリマドンナにしたいと夢みてゐる」。
・老朽のプリマドンナ草木夢子に、イギリス人の夫の三千万の遺産が「ころがり込んだ」という記事が新聞に載る。
・幸子はそのイギリス人と関係があり、証拠の品もあった。そこで「ニセモノの子供をでっち上げ」、夢子の家に乗り込ませようとする。
・自分の子供にあたる年齢の少年を物色するうち、ゆかたを売りに来た不良少年風の混血の男に出逢う。男は、「戦後の七つ八つの混血児の子を子分に持つてゐて、スリなどをやらせてゐる」。

以上、メモと『幸福号出帆』を比較すると、当初から変わらなかったのは、主人公が月島在住であること、プリマドンナを目指していること、老朽のプリマドンナがヨーロッパ人の夫の三千万の遺産を手に入れること、混血の不良青年の出生の秘密が描かれることなどである。その一方、解題の指摘のように、「初期の題名や略筋などに密輸事件の影響は全くみられない[21]」。ほかにも相違点はあるが、本稿では、変わらなかった〈オペラ〉と、新しく加えられたと考えられる〈密輸〉の両方の視点から分析する[22]。

まず、作品メモの最初に書かれているのは「オペラ」である。三〇年一月には「オペラ・ブームは今年も続く」の見出しで、「音楽界は、ことしもオペラ全盛のようである[23]」、四月には「果して本当の関心か　オペラ・ブームの正体[24]」という記事が掲載されるほど、オペラは「ブーム」の芸術だった。「日本オペラ史上の最重要人物である藤原義江[25]」は、昭和二九年、三〇年の紅白歌合戦に出演[26]。「国民のスターといえるほどに人気のあった[27]」藤原義江の歌劇団と、二八年に発足した二期会が、三〇年一月に「カルメン」を上演したことが、「競演[28]」と報じられたのである。正代は「昭和十二年ごろ、F歌劇団の草創時代に、まがりなりにもオペラ歌手」であったが、当時の読者なら、この「F歌劇団」を「藤原義江歌劇団」として認識しただろう。また〈二期会〉は東京音楽学校の出身者が中心となり、「それまでの先輩たちの活動を第一期と考え、新たに第二期の活動を互いに競い合おう」として名付けられた[29]。

それまで日本のオペラ活動は、大学などで正統的なオペラ研究・教育を経ないまま民間で行わざるをえなかった経過があり、それが大正年間の浅草オペラであり、戦前の藤原歌劇団だった。民間には民間の良さがあるのはむろんだが、クラッシックの声楽の基本がどこまできちんと押さえられているかという点では、問題を残す面があった[30]。

言い換えれば、三津子がデパートに勤務しながらプリマドンナを目指したのも、そのような「民間」出身のプリマドンナが活躍していたからである。当時はそのほかにも国民歌劇協会、長門美保歌劇団、グルリット・オペラ協会、[31]関西歌劇団などさまざまな団体が公演をし、藤原歌劇団の青年グループも、日本で未上演のオペラを積極的に上演していた。[32]鑑賞団体である都民劇場や東京労音も「オペラ啓蒙と日本の歌い手やスタッフ等の育成」に[34]「積極的に貢献し」ている。[33]三一年にNHKイタリア歌劇団、東京藝術大学が公演を開始した[35]ことも、オペラがいかに流行していたかを示している。

それらの公演で最もよく上演されていたのが「カルメン」であり、「椿姫」だった。「カルメン」は、「浅草オペラ時代も、上演すれば必ず満員にな」り、「藤原は意識的にこれを損失の穴埋めとか、オペラ熱の盛り上げ等に利用し[36]」ていた。初めて藤原義江歌劇団の名で公演されたのも「カルメン[37]」で、三島も「私のオペラ見物は、歌舞伎座における、藤原義江、由利あけみの『カルメン』にはじまる」(「『卒塔婆小町』について」「関西歌劇団プログラム」昭和31・3)と、鑑賞していた。そして、同歌劇団が、初めて東京以外の公演で上演したのが「椿姫」である。[38]つまり、『幸福号出帆』の帝国オペラ協会が第一回公演に「椿姫」を選んだのは、「古色蒼然たる」作品といえども、「椿姫」は、「オペラ」といえば、と読者が想起する作品だったからだろう。

『幸福号出帆』で、三津子は「芸術」に対して夢を抱き、絶望し、実生活でオペラを生きようとする。三島が「芸術」と人生の関係について「問題提起」をしていたからだと指摘されているが[39]、数ある芸術の中でもオペラが選ばれたのは、新聞読者にとってもオペラがブームであったことが理由だろう。ただ、当時の「カルメン」は、オペラの範疇を超えて受容されていたといえる。越路吹雪は宝塚所属時代から話題になっていた[40]カルメンを、二九年には日本劇場のショー[41]やラジオドラマで演じた。この「連続ドラマ　カルメン」は、「オペラからではなくメリメ原作を野上彰が脚色、桜井史郎が作曲・構成、東京交響楽団が演奏」し、「録音動員数で記録」となるような本格的な作品であった[42]。つまり作品の内容を知らずとも、「カルメン」は情熱的で美しく、男性を誘惑し、その運命を翻弄する女性というイメージを想起する存在だったのではないだろうか。『幸福号出帆』では、三津子が密輪団に引き込むのを目当てに富田に会った日から、カルメンの名が出される。作品の今後の展開を暗示しつつ、「現実がオペラのやうに見え」「この世界が一つの舞台の上に乗つて、廻つてゐる」という、現実を芸術の世界のように生きようとする三津子の陶酔も感じられるのである。〈密輪〉の夜に「カルメン」を実際に演じるのは、その象徴ではないだろうか[43]。敏夫が混血の青年であることも、重要であろう。占領が明け、日本が独立すると、「混血児数一五万から二〇万人という数字が独り歩き」し、「占領初期に生まれた混血児第一陣が学齢に達する」ことで、「混血児報道があふれた」(44)。新聞小説でも、獅子文六が昭和二七年四月から八月までサンダース・ホームをモデルにした『やっさもっさ』を『毎日新聞』に連載、映画化(45)もされたが、同じ二八年、「三本の異なるタイプの〈混血児〉関連映画が作られ」ていた(46)。敏夫の父はイタリア人だが、戦争中に受けた差別や、大学を中退し定職に就いていない現状も書かれている。

敏夫自身はオペラ歌手ではないものの、日本のオペラ草創期に活躍した歌手は、「混血の人が多い」(47)。藤原義江や、佐藤美子は、この時期、「成功した混血」として、混血児を救う活動を始めていた(48)。当初のメモの、亡夫がイギリス人という設定からイタリア人になったことも、オペラや戦争という視点からも考えるべきだろう。

二　『幸福号出帆』の作品舞台、下町・月島

先述のように、主人公が月島在住であることも、最初のメモから変更していない。後に敏夫と三津子が二人の生活を始めるのは清洲橋のたもと、砂糖の「密輪」計画では新大橋、両国橋、浅草橋など橋の名前が隅田川の流れに沿って描かれ、密輪の失敗が露見し、相生橋付近で積み荷を棄て、さらに現在は佃大橋がある佃の渡しで敏夫と再会、最後は、歌子と正代が月島を訪れ、晴海で終わる。つまり『幸福号出帆』は月島で始まり、渋谷を経て、隅田川沿いで展開、東京港の晴海で終わる物語だといえるだろう。

月島の山路家は、以下のように詳細に描かれている。

「さうだわ。テレビで、ボクシングの試合がはじまるんだわ」（略）

丁度家の前が小公園になつてゐて、その一角に、商店街の寄附にかかるテレビが据ゑられてゐた。（略）テレビの前には（略）隣りの「月島あられ製造本舗」の主人も、むづかしい顔をして、腕組みをして、見上げてゐた。もう一軒となりの鍼医も来てゐた。

今回、昭和二八年と三二年の『東京都全住宅案内図帳』を確認することができた(49)。二八年版には銀座から勝鬨橋を渡り、晴海通を進んだ右側、月島第二公園の前である当時の月島西河岸通九丁目(50)に「あんま片岡」、その隣は美容院、さらにその隣には「今井菓子店」がある。三二年発行の同図帳では、「あんま片岡」の隣が「鈴木」、その隣は「アラレ製造(有)今井商店」である。つまり間に一軒はさんでいるものの、ほぼ『幸福号出帆』と一致している。月島第二公園についての「小公園」という表現については、東京市役所発行『月島第二公園案内』で、「帝都復興計画による五十二小公園の一(51)」とされている。公園の隅田川側にはプール、反対側には都立水上小学校附属学寮があった。三津子

の一家が歌子の家に引っ越す際には、「見物してゐる近所の子供の中には、水上小学校附属学寮の子供もゐた」「『すごいなァ。沢山荷物があるもんだなァ。うちよりずつとずつと多いもんなァ』と言つてゐるのは、水上生活者の子供だつた」とある。水上小学校と児童の寮は昭和五年九月にこの地に完成しており、深川の分校の完成、戦中には学校単位で疎開するなどの変化を経て、二九年九月には九〇名の収容が可能な附属学寮の改築が完成していた[52]。児童たちが地域に自然に溶け込み、月島の住民、特に戦前から住む山路家のような家族と親しく会話していたことも容易に想像できる。さらに月島第二公園には、二九年九月六日に街頭テレビが設置されていた[53]。取材ノートには残されていないものの、三島が月島を踏査し、実際の位置関係や住民の様子などを確認していたのは、ほぼ間違いないだろう。

当時の月島の街頭テレビの設置場所については以下のような証言もある。

昭和二十八・九年頃だったと思いますが、ボクシングが盛んになり、白井義雄《ママ》選手が世界チャンピオンと闘うというときは、電気屋さんの前はテレビを見る人で一杯になりました。（略）当時息子は大学生でしたが、友達にボクシング・クラブの部長さんがいてよく遊びに来ました。（略）「月島はいいよ。電気屋がテレビを見やすいように外に出してくれるもの。他では、そんなことしないよ」と。[54]

電気店が寄附していたということだが、三十二年の図帳で月島第二公園の前の「大和興業ＫＫ」は、電気店である。当時、中央区内の街頭テレビは六カ所のみ[55]。人気番組の中継時に多くの人が集まる様子は、当時の風景として知られているが、『幸福号出帆』連載中の「読売新聞」では、校舎の改築費にしようと、校庭にテレビを設置し、プロレス放送を見せて見学料を徴収した校長が問題視されていた[56]。『幸福号出帆』の最後に月島を訪れ「この辺に住んでゐましたんですよ」という正代に、歌子が「おやまあ、めづらしいところね。私は生まれてから山の手しか知らないもの」と言うように、月島と神山町は対照的に描かれているが、三島が「商店街の寄附」としたテレビも、誘い合って見学に急ぐ子どもも、近所の人々が「初夏の晩の、只の楽しみにうきうきしてゐ」る様子も、いわゆる下町らしい人情あふれる月島の光景だろう。

三　昼と夜、表と裏、世界とつながる
東京ウォーターフロント

『幸福号出帆』連載開始直前の三〇年五月、作中にあるように、月島のすぐ近くの晴海で国際見本市が開催された。前年の大阪に続いて東京では初めてで、訪れた外国人のバイヤーは「世界五四カ国から二〇〇〇人、成約高は

二二億七〇〇〇万」、四六万人を集める成功を収めた[57]。『幸福号出帆』が掲載された「読売新聞」では、「晴海埠頭は国際見本市ブーム　来月に会場準備完成[58]」という報道のあと、開催中は各分野の日本製品について連載[59]。「朝日新聞」でも社説、外国人客のいけばなや茶の湯体験など、連日のように国際見本市の記事が扱われている[60]。敗戦から一〇年を迎えた日本が、多くの外国人バイヤーを集め、世界と商談し、利益をあげるという国際日本市は、現在の感覚では想像できないほど、注目を集めていたのが分かる。

一方、東京港は裏の世界でも海外とつながっていた。『幸福号出帆』の物語を紡ぐ密輸である。「解題」で、三〇年二月八日に隅田川で逮捕された「輸出砂糖〝横流し〟船団」や、同年五月四日の時計の密輸団の記事を引用し、「東京港一帯を舞台にして、密輸が横行していた[61]」とするように、新聞でも、麻薬、宝石、時計の密輸が報道されている。摘発やその失敗だけではなく、「悪質化した密輸　国際的組織を完成　上海、香港を根城に往来[62]」、「麻薬密輸団の新組織発覚　吉祥寺に秘密工場　香港から取寄せ精製[63]」など密輸の組織や、「香港というところ　宮本前特派員　密輸とスパイの基地[64]」と香港という地から、密輸の組織、手口などついてまとめた記事もある。『幸福号出帆』の密輸団のボス・アメリカ人ハワードも香港在住の設定であり、三島は香港という土地と密輸の関係に着目していたようだ。

三茶書房、幡野武夫氏所蔵で三島旧蔵書の「週刊朝日」昭和三〇年八月七日号と一四日号には、表紙に「要保存」というスタンプが押されている[65]。七日号目次の「香港の明暗　上」と一四日号の目次、同「下」に赤い線が引かれ、七日号の該当ページ「香港の明暗　上　難民の町」という題の上には、三島の手書きで「小説に必要」とある。ハワードの設定や同誌の発売時期から考え、この記事を必要とした小説は、『幸福号出帆』だろう。だが「旅行者の買いそうな、時計、写真機、万年筆、服地屋などと連絡をつけ、とほうもない高額で土産物を売りつけ」るという「正規な(?)ルート」や、在留邦人に「味噌、タクアン、ノリ」などの食料品を売る「ヤミ取引」についてのみで、密輸については書かれていない[66]。三島が「新聞小説に密輸の話を書くので、税関や水上署をかけまはり、いつぱしの新聞記者気取です」(昭和三〇年六月八日付「中村光夫宛書簡」)とするように、割符を用いるなど作品に書かれた密輸の方法の詳細は、自身の調査の成果であろう。

ただ、「解題」で紹介されている「朝日新聞」二月八日の砂糖の横流し事件について、「読売新聞」では一一日、「砂糖ニセ輸出団暴露」の見出しのもと、逃亡し指名手配されていた四名含め一八名が検挙されたと報じている[67]。

調べによると荘らは昨年九月頃国内での砂糖の根上りに眼をつけ、日本で加工されて輸出される砂糖を税関を通さず横流しすれば関税抜きでボロもうけできることから、小林、細川と共謀、秘密結社組織の偽輸出団を造り、一味を輸出部、輸送部、本船係、税関係、販売係に分け、砂糖を大量に香港向けに輸出するように見せかけていたもの(68)。

最も興味深いのは、「朝日新聞」で「無職」とされていた細川が、「元税関吏細川清茂」と明らかにされたことだ。細川のみが二〇代前半と若いことからも、『幸福号出帆』の富田のような役割を果たしていた、と三島がイメージを膨らませたとも考えられるのである(69)。

実は二九年一月、砂糖相場が急騰した。その後も高値を記録し、砂糖に関する法案まで提出された。砂糖高騰の理由が、「新聞でみてもむずかしくて分からない(70)」と、経済誌や、婦人誌などさまざまな雑誌で特集が組まれる。『幸福号出帆』の連載中、法案は通過せず、結局、政府の大量輸入で値が下がるが、「政府が政府なら業界も業界(71)」と政府や精糖会社への批判があった。

一般市民が、密輸や砂糖の横流し事件をどのように見ていたか不明である。ただ『幸福号出帆』には、当時、最も大きな問題であった麻薬の密輸は描かれていない。作中では、冒頭で敏夫が「スイス製の腕時計三十個」を受け取り、富田からは自分の仕事の話として「韓国船や香港経由の船は、要注意船」で、「フンドシの中に二百の腕時計かくしてゐる奴」もいること、房子からは猫の血統書が船の名前になっていることが示される。この後、富田が仲間になりウイスキーなども扱うが、幸福号を使っての密輸は、サントニン、そして未遂に終わる砂糖である。房子は、「世間ぢや、私たちの仕事を、……密輸つて呼んでゐますわ。でも品のいい仕事だつてことはまちがひがないのよ」という。当時の読者が「品のいい仕事」と思うかは不明であるが、新聞小説で扱う「密輸」として熟慮されたものではないか。要するに、作中の高級時計の密輸に新聞読者が巻き込まれることや砂糖の横流しに不利益を被ることはほぼなく、違法薬物が蔓延するような恐怖も感じることはないのである。

おわりに

以上、三島が『幸福号出帆』に描いたさまざまな事象から、特にオペラと密輸の同時代的な意味を考察したが、先の『沈める滝』の連載形態についての座談会は、三〇年二月二六日に開催された(72)。冒頭で伊藤整は「そういうやり方の意義とか、今後の作家の発表形式の問題やなにかについて」「ご意見を伺いたいと思いますが、完成寸前で緊張感の漂っている感想を三島君からまず最初に」と切り出された三島は、いきなり「書き易いという点からいえば、新聞の方が書き易い。でも書いて面白いのは、この方が面白いですね[73]」と発言している。先述のように、三島は既に「朝日新聞」に「にっぽん製」を連載していた。が、今回の連載形態への感想を尋ねられ、いきなり新聞小説について述べたのは、執筆はともかく既に「読売新聞」から依頼を受け、新しい新聞小説となる『幸福号出帆』の構想段階に入っていたとも考えられる。三島はほかにも新聞小説について、自身が「ジャンルというものを非常にうるさくいう方で、新聞小説というものは現代の特殊なジャンルで、全然小説ではないと思っています[74]」と述べた。この発言については、三島の「小説」観を明らかにしたうえで論じる必要があるが、この時、「新聞小説」という「ジャンル」を強く意識していたのは間違いないだろう。

　連載開始前に掲載された先の「読売新聞」の告知には、三島の「作者の言葉」も掲載されている。全集未収録であるため、全文を引用したい。

> 　私には、小説というものに、いつまでたっても、子供らしい夢がある。連続活劇的なもの、ハラハラさせるもの、宿命的な恋、陽気な悪行、人に秘められた生活、危機一発(ママ)の救助、やさしい愛情、美しい自然、原始的なよころび、……そうかと思うと、きちがいじみた馬鹿さわぎ、常識外れな人々、叫び声、けたたましい笑い声、大御馳走、……どうしても、こういうものが小説にはなければならない。できれば、そういうものばっかりで詰っていて、はちきれそうになっていてほしい。私が今書きたいのは、こんなものだ。
>
> 　だから、もし私が読者に罪を謝するとしたら、この袋の中にいろんな非現実的な事件をめったやたらに詰め込むことではなく、袋の中身が隙間だらけで、その隙間をつい、近代作家の好きな屁理屈で埋めてかかろうとすることである。私の不敏は、岩田専太郎氏が、寛恕の微笑を以て救ってくださることであろう。[75]

　この「作者の言葉」で三島の挙げた一つひとつが『幸福号出帆』の内容と一致し、本作が正に三島の「小説」への「子供らしい夢[76]」をすべて実現させた作品であるのが分かる。つまり三島は、「小説ではない」とした新聞小説に小説への夢を詰め込んだのである。「沈める滝」や新聞小説のそれぞれの連載形態は三島自身が考えたものではないが、三〇代に入った三島が、自らにとってよりよい発表形態を考える契機になったかもしれない。

　『幸福号出帆』は、昭和三〇年に連載されていたという時代性を視座にすると、数多くの論点を有する。そして論点となるような本作に描かれている事象は、犯罪である「密輸」、経済問題である「砂糖」、ブームとして扱われている文化芸術である「オペラ」、社会問題である「混血」と、全て新聞で報道されている。そもそも〈新聞〉とは、それら今起きているさまざまな事件や問題を、全て同じ日の同じ紙で報じる媒体なのである。

『幸福号出帆』は、歌子の遺産相続が新聞で報道されたことを物語の発端として、実際に報道されていることが詰め込まれた内容である。つまり、報道される事実と同じ内容が、同じ新聞に掲載されている小説に描かれているのである。これが三島の『幸福号出帆』における挑戦ではないだろうか。「新聞」に連載するから「新聞小説」ではない。三島が「新聞」の要素を「小説」にした、という意味での「新聞小説」を書こうとしたのが『幸福号出帆』なのではないだろうか。今回は紙幅の関係で、論点を挙げる程度になったが、発表当時に現在とは異なる意味や意義を持っていた事象について、詳細な分析を進める必要がある。さらに三島自身の新聞小説やエンターテイメント小説という視点も必要である。さらに、同時代の新聞小説との関連も分析する必要があるとして、本稿を終わりたい。

（東京医科歯科大学教授）

注1　座間三朗「中間小説評　今年の新聞小説展望」（「読売新聞　朝刊」昭和30・12・22）

2　村松剛「第二の人生」（『三島由紀夫の世界』平8・10・1、新潮社）、２４６頁。

3　遠藤伸治「幸福号出帆」松本徹、佐藤秀明、井上隆史編『三島由紀夫事典』平12・11・25、勉誠出版）、１３４頁。

4　平野謙「文芸時評」（「毎日新聞　朝刊」昭和31・11・21）

5　文学座『文学座五十年史』（昭和62・4・29、文学座）49頁。

6　佐伯彰一「三島由紀夫　人と文学」（三島由紀夫『金閣寺』昭35・9・25、新潮社）、３０８頁。

7　注3に同じ。

8　演劇批評誌「シアターアーツ」は、「創刊記念アンケート特集　演劇評論家が選ぶベスト20　戦後戯曲の五十年　1945～1994」（「シアターアーツ」1、平成6・1）と題し、国際演劇評論家協会日本センターに所属する全員を対象にアンケートを実施。「戦後戯曲の代表作」と思われる作品をひとり二〇本ずつ列挙する形式で、一位が、「サド侯爵夫人」（「文芸」昭和40・11）で、『近代能楽集』や「鹿鳴館」も三十位までにランクインした。

9　鹿島茂「解説『幸福号出帆』と『鏡子の家』の関係」（『幸福号出帆』平成8・7・1、筑摩書房）、３７３頁。

10　注9に同じ、３７７、３８１頁。

11　九内悠水子「三島由紀夫『幸福号出帆』論―エンターティメント小説にみる手法」（「近代文学試論」40、平成14・12）

12　伊藤整、椎名麟三、堀田善衞、三島由紀夫「新しい長編小説―その発表形式と作者の態度―」（「中央公論」70―4、昭和30・4）での伊藤整の冒頭の発言。

13　注12に同じ。「編集部」として嶋中鵬二も参加し、企画意図や背景など発言している。

14 無署名「次の連載小説」(「読売新聞　朝刊」昭和30・6・14)

15 各月の一日に紹介された人物をその順番に挙げると、七月は「山路三津子、山路敏夫、山路正代、コルレオーニ・歌子」、八月は、「山路敏夫、山路三津子、コルレオーニ・歌子、房子、萩原達」、九月は「山路敏夫、三津子、コルレオーニ・歌子、房子、髙橋ゆめ子」、一〇月は「山路敏夫、房子、ハワード、三津子、コルレオーニ・歌子」、一一月は「山路敏夫、三津子、房子、富田、コルレオーニ・歌子」である。

16 注10に同じ。ただ、作品が六月に始まっているかは不明。本稿中に後述するように、当時、最も人気があったボクシングの選手は白井義男であり、そのフライ級タイトル王者奪還戦は三〇年五月三〇日だった。

17 「幸福号出帆」創作ノート。本稿に引用した作品舞台のほか、全一五章の章題などが書かれている。802頁。

18 注9に同じ。376頁。

19 現在の代々木公園。戦前の代々木練兵場は戦後、進駐軍に接収され「ワシントンハウス」と呼ばれる「米軍将校のための住宅」となった。東京五輪の開催決定で、昭和36年に「正式に返還され、ハイツ内の鉄筋アパートはオリンピック選手村に改装され」た。(人文社「古地図ライブラリー　別冊　古地図・現地図で歩く　昭和三十年代東京散歩」平成16・8・1、人文社)、69頁。

20 三島由紀夫「(原稿用紙メモ)　仮題『歌と黄金』」(『決定版　三島由紀夫全集　第5巻』平成13・4・10、新潮社)781〜782頁。

21 田中美代子「解題」(『全集　第5巻』、注20に同じ。)817頁。

22 磯田光一も「解説」(三島由紀夫『幸福号出帆』昭和53・6・30、集英社)で、「『幸福号出帆』の物語を形づくっている二つの大きな要素は、オペラと密輪である」としている。335頁。

23 無署名「オペラ・ブームは今年も続く『カルメン』競演で開幕」(「朝日新聞　夕刊」昭和30・1・14)

24 無署名「果して本当の関心か　オペラ・ブームの正体」(「朝日新聞　朝刊」昭和30・4・6)

25 増井敬二著、昭和音楽大学オペラ研究所編「第三章　漸くオペラが始まった時代　昭和戦前・戦中期」(『日本オペラ史(上)〜一九五二』平15・12・25、水曜社)、218頁。

26 昭和二九年一二月三一日、三〇年同日「読売新聞」のテレビ番組欄。出場者に藤原義江の名がある。

27 関根礼子著、昭和音楽大学オペラ研究所編「第一章　一九五三年からの出発」(関根礼子著、昭和音楽大学オペラ研究所編『日本オペラ史(下)一九五三〜』(平23・11・15、水曜社)、35頁。

28 注23に同じ。

29 「第四章　オペラが新たな活力で燃え上がった　戦争

直後の時代」（注25に同じ）、408頁。

30　注27に同じ、6頁。

31　注27『日本オペラ史（下）一九五三～』の第三部（211～711頁）から、一九五五年時に上演記録がある団体の名を挙げた。

32　藤原義江が主宰する団体の公演としては七回目であるが、「藤原義江歌劇団」の名が初めて使われた。「『日本オペラ史』「昭和戦前・戦中期年表（1926～1945）」（注25に同じ、218頁）によると、昭和一四年三月二六、二七日の公演。好評のため翌四月二八、二九日にも歌舞伎座で再演された。

33　注27に同じ。5頁。

34　増井敬二遺稿・杉理一補筆「一―二―一　NHKイタリア歌劇団」（注27に同じ）。「歌手は全員をイタリアから呼ぶが（略）、オーケストラとコーラス、仕出しは日本人が受け持ち、舞台はイタリアのデザインで日本側が制作する」公演で、「数多くの人々に強烈な印象を与え、さらに関係アーティストやスタッフに大きな収穫をもたらして、いわば日本オペラ史上最大の出来事となった」とされている（20頁）。

35　注27に同じ。14頁。初回公演は「椿姫」であった。

36　注29に同じ、342頁。

37　注27に同じ。40頁。

37　注27に同じ。5頁。

38　注29に同じ、333頁。

39　注9で鹿島茂は、三島が『小説家の休暇』に芸術と人生について書いた部分を引用し、「こうした重大な問題を『小説家の休暇』で提起しながら、そのいっぽうで『幸福号出帆』を書いていた」としている。381頁。

40　宝塚時代の越路吹雪にとって、カルメンは「はじめての女役」で、「奔放で情熱あふれる、素晴らしいカルメンであった」（島野盛郎「I　型破りのトップ・スター―宝塚歌劇時代」（『夢の中に君がいる　越路吹雪物語』昭和63・12・10、白水社、62頁）。なお、三島はこの頃、越路の「依頼により彼女にはめて」（「後書き」）、「溶けた天女」（「新劇」昭和29・7」を書いている。

41　無署名「新分野へ挑む越路の努力　カ・ル・メ・ン・の・恋　日劇ショー」（「読売新聞　夕刊」昭和29・6・25）では、「越路吹雪のほんとうの意味のパリ土産」と称賛している。

42　無署名「連続ドラマ『カルメン』　越路吹雪、初の放送劇」（「読売新聞　夕刊」昭和29・8・15）では、「声の出演で三度目の『カルメン』役に打ち込む」と、越路が何度もカルメンを演じてきたことが強調されている。

43　磯田光一は、本作で「密輪とオペラが重なりあっているのは、興味ぶかい。というより、密輪も日常的な常識をこえているという点では、一つの芸術といってもいい」（注22に同じ）としている。337～338頁。

44　加納実紀代「『混血児』問題と単一民族神話の生成」（恵泉女学園大学平和文化研究所編『占領と性―政策・実

態・表象』平成19・5・30、インパクト出版会)、224頁。

45　注44に同じ。

46　高美哿「第三章　戦後日本映画における〈混血児〉〈ハーフ〉表象の系譜」(岩渕功一編著『〈ハーフ〉とは誰か　人種混淆・メディア表象・交渉実践』平成26・2・16、青弓社)、84頁。

47　注25に同じ。219頁。

48　無署名「藤原氏らで打合せ　混血孤児を救う運動」(「朝日新聞　朝刊」昭和28・1・20)では「オペラ歌手藤原義江、同佐藤美子、俳優江川牟礼雄、仏文学者平野威馬雄氏ら混血文化人」の「四氏が世話人になって」「混血児救済運動」が行われたこと、同年四月には、「関西でも運動　混血児救済の一九五三会」(「同」昭和28・4・4)の見出しで、講演会や座談会を開き各地の教組や婦人会に「基地の子供を守るよう呼びかける」活動をしたこと、また全国にこの運動を広げるという今後の展開についても報道している。

49　住宅協会『最新版　東京都全住宅案内図帳　中央区北部・南部　昭和二十八年版』(昭和33・2・1、住宅協会)、住宅協会『最新版　東京都全住宅案内図帳　中央区北部・南部　昭和三十二年版』(昭和33・2・1、住宅協会)

50　月島西河岸通九丁目は「昭和四〇年四月、月島の住居表示実施により、月島とつけずに」「勝どき一丁目から六丁目」となったが、「実体的には月島とひとつづきで変わらない」。(東京都中央区役所編「五　月島地区(三)勝どき一丁目～六丁目」(『中央区三十年史　上巻』昭和55・2・29、東京都中央区役所)1213～1214頁。

51　東京市役所『月島第二公園案内』(発行年不明)。A5の裏表1枚で、折ると冊子のような形になる。

52　石井昭示「二　水上小学校開校」(『水上学校の昭和史』平成17・3・17、隅田川文庫)、84頁。

53　日本テレビ五〇年史編集室編『テレビ夢五〇年 経営編(一九五三～二〇〇三)』平成16・3・15、日本テレビ放送網)、245頁。

54　綿引かね「テレビ」(『わたしと月島』平成1・12・31、綿引テル子発行)、65頁。

55　注52に同じ。

56　無署名「テレビで入場料とる　学校整備費もとめ」(「読売新聞　朝刊」昭和30・7・21)では、墨田区立吾妻第二小学校が、これまで映画などの鑑賞会だった企画の一環として、当初から入場料を目的にプロレス中継を放映、運動場にテレビを設置して、保護者に公開したことを問題視している。テレビは、PTA役員の電気店経営者が貸し出した。

57　著編者不明『晴海から有明へ—東京国際見本市協会の四〇年』平成8・4、東京国際見本市協会)、4～5頁。

58　無署名「晴海埠頭は国際見本市ブーム　来月に会場準

備完成」（「下町版」「読売新聞　朝刊」昭和30・2・17）

59　例えば「食料品」が五月一二日、「化学製品」が一三日、「鉄鋼類」が一四日と連載されている。

60　無署名「社説　ＩＯＣ総会と国際見本市」（「朝日新聞　朝刊」昭和30・5・17）

61　注21に同じ、８１５〜８１６頁。

62　無署名「悪質化した密輸　国際的組織を完成　上海、香港を根城に往来」（「朝日新聞　朝刊」昭和29・5・5）

63　無署名「麻薬密輸団の新組織発覚　吉祥寺に秘密工場　香港から取寄せ精製」（「朝日新聞　夕刊」昭和29・8・21）

64　「香港というところ　上　宮本前特派員　密輸とスパイの基地」（「朝日新聞　夕刊」昭和30・6・6）

65　二〇二二年八月五日、三茶書房の二階で閲覧。幡野氏は、佐伯彰一氏の紹介で、平成三年四月から五月にかけて五回、三島邸を訪問。瑤子夫人、紀子氏立ち会いのもと、三島の蔵書を譲り受けた。瑤子夫人からの平成三年五月二日付け書簡によると、その日までにほぼ作業が終わり、次の要件で訪問を依頼しているのが分かる。貴重な蔵書をお見せくださった幡野氏に記して深謝する。

66　朝日新聞社前香港特派員　宮本源七郎「香港の明暗　上」（「週刊朝日」昭和30・8・7）

67　無署名「砂糖ニセ輸出団暴露　ねらった八千万、一八名を逮捕」（「読売新聞　朝刊」昭和30・2・11）

68　注67に同じ。

69　無署名「砂糖密輸団　三人捕わる　信用状を偽造」（「朝日新聞　夕刊」昭和30・6・16）。ブローカー小林保夫が、ジョンソン基地チェス・マンハッタン銀行副支配人・黒石栄に持ちかけ、同行の輸出用信用状係から信用状用紙を盗み出し偽造したこと、二名と同東京支店行員・鹿野清輔を送検したことを報じている。

70　無署名「時論要解　苦い砂糖」（「時事通信」２５１２号、昭和29・3・19）

71　無署名「砂糖はどこまで私たちのものか」（「実業之日本」58、昭和30・9・1）

72　末尾に「二月二六日、於八百善」とある。

73　注12に同じ。

74　注12に同じ。

75　三島由紀夫「作者の言葉」（「読売新聞　朝刊」昭和30・6・14）

76　注75に同じ

〔付記〕本文に引用した三島由紀夫の文章は『決定版　三島由紀夫全集　全42巻　補巻　別巻』（平12・11・25〜平18・3・25、新潮社）を底本にした。なお、今日の感覚からは差別的と思われる表現があるが、時代性を考察する本稿の目的から、原文のまま引用した。

特集　三島由紀夫のエンターテインメント 1

三島由紀夫「お嬢さん」
――純潔とエンターテイメント

光石亜由美

はじめに

三島由紀夫「お嬢さん」は、雑誌『若い女性』に一九六〇年一月号から一二月号に連載され、同年一一月には講談社から単行本が刊行された。一九六二年一一月には講談社のロマン・ブックスとして発売され、さらに、一九六七年一〇月には同じ講談社よりソフトカバーで発売されている。また、一九六一年二月には大映映画で映画化、一九六二年、一九六七～八年にはテレビドラマ化もされた。三島由紀夫のエンターテイメント作品、または「社会風俗小説[1]」として、小説、映画、ドラマと広く享受された作品だ。

三島由紀夫は「お嬢さん」を『若い女性』に連載するにあたって次のように語っている。

今度の小説は、数年前に書いた「永すぎた春」といふ小説の、その先の人生を書きたいと思つてゐる。〔…〕現代人の、結婚といふものに対する妙な考へ、イヤに実際的かと思ふとイヤにロマンチックな考へ、さういふものがいかに人生から復讐されなければならないか、といふテーマは、いはば、現代人の結婚観の諷刺ともいへるだらう。この女主人公は、ずいぶん変つてゐるが、変つてゐるのは彼女一人だけではないのである。

（三島由紀夫「黒いあこがれ――新連載について[2]」）

「永すぎた春」のその先、結婚後の夫婦をもとに「現代人の結婚観の諷刺」を意図したのが「お嬢さん」である。

「お嬢さん」の概要は以下のとおりである。大海電気株式会社取締役兼業務部長の藤沢一太郎は家族思いの父親である。妻のかよりも良妻賢母気質のきびしくもやさしい母親である。長男、正道も結婚して美しい妻・秋子と幸せに暮らしている。一人娘のかすみは、そんな「ブルジョア的幸福」に反感を抱いているが両親の前では、聞き分けの良い娘を演じている。一太郎は部下の社員たちを自宅に招き、ダンス・パーティを開催する。どうやら、かすみの結婚相手を探しているらしい。そのなかの一人、沢井景一にかすみは興味を持つ。しかし、沢井は複数の女性と交際をしている浮気者であった。銀座の洋品店の店員である浅子には、結婚してくれなければ死ぬと脅されている。かすみは、浅子から逃れたければ、私と結婚すればいいと景一に提案する。そして、二人の結婚生活が始まる。しばらくして、浅子が二人のアパートへ押しかけて来て、自殺未遂を起こす事件があったり、景一が兄嫁の秋子のことが好きなのではと疑ったり、かすみは夫への疑念と浅子や兄嫁への嫉妬にとりつかれる。結局、自殺未遂事件を経て生まれ変わった浅子の助言により夫を信じることにする。かすみは妊娠しており、その知らせを聞いた父・一太郎は娘の「幸福な結婚」を喜ぶ――というものである。

「お嬢さん」についての先行研究は少ない。武内佳代「〈幸福な結婚〉の時代 ――三島由紀夫『お嬢さん』『肉体の学校』と一九六〇年代前半の女性読者[3]」は、「当時理想視されたブルジョワ的な結婚観や家族観に対する批判」、「女性読者に対してロマンチック・ラブ・イデオロギーに対する疑義」を打ち出した小説とする。武内によれば、「お嬢さん」が発表された当時は高度経済成長期に入る時期であり、「夫は仕事、妻は家庭」という性別役割分業にもとづいた「戦後近代家族形成の胎動期」であった。また、一九五九年には皇太子のご成婚、それ以前からの「ミッチー・ブーム」により「性＝愛＝結婚の三位一体としてのロマンチック・ラブ・イデオロギー」がメディアで拡散された時期であった。かすみは物語内では、恋愛と結婚を切り分けて考える進歩的な女性として造形されているが、「あくまで観念の上でのみ恋愛と結婚を切り離し、「純潔」を守る女性であり、「純潔思想を「立派な理性」として固守するかすみ、それはつまり同時代の若い未婚女性の典型に他ならない」とする。結局は父親が望む「幸福の鋳型」に、かすみが収まってゆくのは、かすみだけではなく、当時の女性読者に対する「痛烈な諷刺」でもあったとする。

本稿では、小説「お嬢さん」を「当時理想視されたブルジョワ的な結婚観や家族観に対する批判」、「女性読者に対してロマンチック・ラブ・イデオロギーに対する疑義」という武内論をふまえながら、エンターテイメント小説として「お嬢さん」を再読する。

「現代人の結婚観の諷刺」という作者・三島の隠れた意図があっても、エンターテイメント小説においては、読者たちの関心をひき、楽しく読ませるしかけも必須であろう。具体的には「幸福な結婚」に待ちうけるいくつかの困難――結婚前の、複数の女性と関係がある景一とかすみの恋のかけひき、父親による景一の身辺調査、結婚後の浅子の自殺未遂、兄嫁・秋子へのかすみの嫉妬など小説を盛り上げるエピソードが盛り込まれている。

まず、三島由紀夫が意図した「現代人の結婚観の諷刺」を小説「お嬢さん」の内容に沿って確認したうえで、当時の純潔教育・純潔思想が、女性を「純潔」という基準で二分化してしまうこと、また、「お嬢さん」の「幸福な結婚」

にはロマンチック・ラブを装った性のダブルスタンダードの容認など根深い問題性が隠れていることを明らかにする。当時の純潔教育・純潔思想、女性雑誌の恋愛・結婚記事を補助線として、エンターテイメント性の中に溶解されたロマンチック・ラブ・イデオロギー、純潔思想の矛盾や歪みをあぶりだし、エンターテイメント小説「お嬢さん」の功罪を判断したい。

一　純潔教育と恋愛・結婚・女性雑誌

さきに、三島由紀夫が小説「お嬢さん」の執筆の意図としては、「イヤに実際的かと思ふとイヤにロマンチックな考へ」を持つ「現代人の結婚観の諷刺」と明言していたが、具体的には父母の幸せな結婚生活に反発を抱きつつも、紆余曲折の末、沢井景一との幸せな家庭生活を手に入れるかすみという女性の結婚観が諷刺の対象となっているといえるだろう。講談社ロマン・ブックスの裏表紙のあらすじでも「レディー・メードの幸福は軽蔑するが、イージー・オーダーの幸福ならちゃっかり頂いてしまう、現代お嬢さん気質を見事に描いた長篇恋愛小説」と紹介されている。

かすみにとって「レディー・メードの幸福」とは、彼女の父親が願う「幸福な結婚」、具体的には父親の次のような言葉――「物質的にもだが、何より精神的に、もつとはつきり言へば、女として一等幸福な結婚をしてもらふことだ」というものであり、「まあ、言つてみれば、お父さんとお母さんみたいな結婚だな」という発言からもわかるように成城学園に家を構え幸せに暮らしている藤沢家の姿そのものである。かすみはこれを「ブルジョア的幸福の漫画そのもの」と、口には出さないものの心の中で軽蔑している。しかし、結局かすみも両親の願う「幸福な結婚」をして、「イージー・オーダーの幸福」を手に入れるという矛盾した展開にこの作品の諷刺性があるだろう。

また、かすみは、「人生にはドラマチックな夢を抱いてゐて、結婚には実際的な考へ」を持っている女性である。そして、景一と交際を始めてもキスまでしか許さず、「婚約者にありがちな性急な申し出」に対しても、「ごく冷静に、微笑を以て拒絶」し、「立派な理性的な処理」のできる女性、いわゆる結婚まで「貞操」「処女」を守る純潔思想の持ち主である。戦後、学校現場では男女共学が進むと「男女交際」「恋愛」「純潔」などの問題が持ち上がった。それに対応したのが「純潔教育」である。

戦後の純潔教育は一九四七年一月、文部省社会教育局長が「純潔教育の実施について」を各都道府県に通達することで広まった。その後、一九四九年一月には文部省純潔教育委員会が、「純潔教育基本要項」を出し、翌年には純潔教育に関する指導書『男女の交際と礼儀』が刊行され、その後の純潔教育の実践を方向づける[4]。戦前の男女別学から戦後の民主主義教育によって男女共学へと転換したことから、「正しい」男女交際のあり方が求められていた。小山静子のまとめによれば、純潔教育委員会や純潔教育分科審議会が考える純潔教育とは、「男女交際を通じて男女平等に基づいた道徳心を培うこと、性に関する知識と理解を通して性欲をコントロールすること、性を生殖の手段としてとらえ、純血や優生の観点から、性的関係を結婚している者のみに限定することを意味[5]」していた。

一九五〇年代から一九六〇年代にかけて純潔教育委員会や純潔教育分科審議会が推進する純潔教育は主に学校教育の場を中心に展開されていたが、同時代に「純潔」、そして「純愛」というイメージを一般大衆に拡散したのはメディアの影響が大きいだろう。藤井淑禎は『純愛の精神誌』において、メディアにとりあげられる純潔には、文部省主導の純潔教育の影響があったと指摘する[6]。

「純潔」についての議論は雑誌メディアにしばしば登場する。例えば中山良子は一九五〇年代の代表的な娯楽雑誌である雑誌『平凡』の純潔言説を以下のように分析する。一九五〇年代初頭、女子高校生の「純潔の危機」は小説（「続乙女の性典」や「純潔は誰のもの」）や関連記事、読者相談に取り上げられた。しかし、それらが「性的」であると批判されると純潔に関する記事は縮小されるが、一九五五年頃の生活改善普及事業や新生活運動、純潔教育の動きのもと、純潔に関する記事は増加する。一九五九年九月には『純潔のために』と題された別冊付録がつけられる[7]。

武内佳代は「お嬢さん」連載中に掲載された『若い女性』誌上の「恋愛と結婚は別か」（一九六〇・一〇）という記事を取り上げ、その記事の中の婚前交渉に関するアンケートに注目している。記事では「今日の独身女性はセックスをスポーツの一種くらいに軽く扱い、享楽として割り切っている」という世間の見方に対して、婚前交渉を許容する考えが思った以上に少なかったという分析から、同記事が「若い女性たちが恋愛と結婚を分ける新しい考えを抱きながらも、一方で純潔思想を根強くもつという「観念と実際のギャップ」を問題視している」と指摘する。

武内が紹介している「恋愛と結婚は別か」のアンケート以外には、小説「お嬢さん」連載中に『若い女性』誌上では、「母となられる美智子妃へのお母さまの想い」（一九六〇・二）、「裕次郎の結婚への母の願い」（同・五）、「長嶋茂雄選手の結婚」（同・七）など、皇室、有名人の結婚記事が掲載されている。

このように見てみると女性雑誌における純潔をめぐる議論は、結婚前は純潔を守らなければならないという文部省的な既定路線に沿いながら、交際中は純潔を守るべきであるか否かという具体的な議論を経て、交際の先に訪れる幸せな結婚へと至る道筋をトレースしていると考えられる。

小説「お嬢さん」でも、結婚前まで純潔を守ったかすみは、途中さまざまな困難があっても最後は「幸福な結婚」へと至る。三島が意図した「現代人の結婚観の諷刺」はこうした雑誌自体の恋愛・結婚観、純潔教育まで射程に入るだろう。

二　かすみと知恵子――「純潔」による女性の二分化

小説「お嬢さん」は第一章に確認したようにかすみの「幸福な結婚」を諷刺することで、ロマンチック・ラブ・イデオロギーに対する疑義（武内論）を打ち出している。しかし、それだけではなく、純潔教育・純潔思想の矛盾――「純潔」が女性を二分化することも描き込んでいる。小説「お嬢さん」はかすみと景一のカップルを中心に話が進むが、もう一組、対比的なカップルが存在する。かすみの友人・知恵子と牧である。そして、かすみ一家と友人・知恵子一家も対比的に描かれている。二人の対比は、純潔教育の成功例と失敗例として描かれる。

かすみの家庭は絵に描いたような円満な家庭であり、夫婦中も良好だ。小説の冒頭部分で「会社の社内雑誌」の新年号に掲載する「初冬のあたたかい日ざしの芝生の庭に、そろつてゐる一家族の姿」がそれを象徴している。「福徳円満」な表情の父親、「うちのパパには明らかに二号さんもゐない」とかすみは思っている。そして、「つつましい日本的な妻である」母・かより――藤沢一家は純潔教育が理想とする家族像であるといえるだろう。一方、こうした理想的家族像の対極にあるのは、かすみの友人・知恵子の家族である。「知恵子の父は久しく二号を持つてゐたことがバレて、母のゲキリンに触れ、家を出て、二号の家に住むやうになつてしまつた」とあるように、知恵子の家庭は父親の浮気によって家庭崩壊している。この二家族の対比は、純潔教育において結婚後の夫婦に求められる「純潔」の規範に合致している。

当時、純潔教育には、未婚の男女だけではなく、結婚後の夫婦の「純潔」も含まれていた。池谷壽夫は、当時認識されていた純潔教育の目的を「「純潔」とは結婚までは性交を控え、結婚後は夫婦間以外に性交交渉をしないことを意味しており、「純潔教育」は結婚当事者間のみに性的交渉を認めそれまでは性を抑制するという、性への健全な態度（性道徳）を教えること」とまとめている[8]。「純潔教育の場所として一番大切なのはもちろん家庭であります」（久布白オチミ『純潔教育はなぜ必要か』一九四九）、「両親の結婚生活が円満且つ健康的で、夫婦仲のよいこと」（鈴木清・間宮武『純潔指導』一九五四）とされ、純潔教育の基本は健全で幸福な家庭から、というわけだ。つまり、かすみの家は純潔教育の成功例、知恵子の家は純潔教育の失敗例として対比的に描かれているといえるだろう。

純潔教育が理想とするような家族で育ったかすみは、「立派な躾と臆病のおかげ」で「接吻」すら知らない。「まだ失恋の経験どころか恋愛の経験」もなく、結婚前の純潔を守り、結婚後、いくつかの波乱はあるが、幸せな結婚に落ち着く。

一方、知恵子は沢井景一の同僚・牧と交際を始めるが、牧は「もう二年も前から酒場の女と同棲して、事実上の御夫婦になつて」いた。しかも同棲生活を極秘にして知恵子と交際している。そのことを知らない知恵子は、牧との「昼休みのあひびき」で「接吻」されて、「昼間から海底のやうな照明を漂わせてゐる地下室の同伴喫茶で、もつと進んだ愛撫をも教わつてゐた」。来週には「彼女の人生の最初の冒険的な旅行」――おそらく婚前交渉込みの旅行を予定している。

理想的な両親のもとで育ったかすみは、結婚まで「純潔」を守り、景一と「幸福な結婚」をする。一方、父親が二号のもとへ出て行った「不幸」な家庭に育った知恵子は、牧と婚前交渉をするが、内縁の妻のいる牧におそらく捨てられる運命にある――両親の、そして当人たちの「純潔」／非「純潔」が、かすみと知恵子という二人の女性の運命の大きな分岐点になっているのだ。

三、かすみと景一――性のダブル・スタンダートと結婚

かすみと景一の「幸福な結婚」にも、ロマンチック・ラブ・イデオロギーの矛盾、純潔教育の欺瞞が投影されている。小説「お嬢さん」のかすみは、先述したような両親の思い描く「幸福な結婚」に反発し、「人生にはドラマチックな夢」を抱く女性である。ゆえに父親の望む「本当にかすみを愛してくれる真面目で清潔で将来性のある青年」ではないタイプの沢井景一に興味をもつのである。景一と結婚を約束したかすみであるが、結婚するためには景一の過去の女性関係を解消しなければいけない。父親が景一の身辺調査をすれば結婚に反対するであろうし、特に結婚してくれなければ死ぬ、と脅している浅子の存在は大きな問題だ。結婚前に夫になる男性の過去の女性関係を率先して解決する妻という設定は三島の言葉を借りれば「ずいぶん変つてゐる」が、女性読者にとって、交際をしている男性の真の姿を知りたい、という要求があったのは、雑誌『若い女性』の特集記事からもわかる。

この景一とかすみの恋愛のかけひきは、女性読者にとって現実の男性への対処法として読まれている可能性がある。

小説「お嬢さん」が連載されていた雑誌『若い女性』は働く若い女性をターゲットにした雑誌で、[9]「お嬢さん」が連載連載中の同雑誌の内容を概観してみると、ファッションの広告、料理、美容といったものから、夏目漱石「三四郎」や川端康成「雪国」などの文学作品の紹介などの教養記事、俳優やスポーツ選手、皇室といった有名人

の芸能記事、そして、市川雷蔵・ペギー葉山の対談「結婚の条件」（一九六〇・六）、白石浩一「恋愛と結婚は別か」（一九六〇・一〇）などの恋愛や結婚に関する記事で構成されている。

そんななか散見されるのが、男性についての特集記事である。例えば、特集「新しい男性の研究」（一九六〇・七）、特集「あなたが信頼する彼のなかの悪魔」（一九六〇・九）、「ルポ結婚相談所に来る男性の求婚条件」（一九六〇・一二）など、男性の心理や行動に関する記事である。当時の女性雑誌に読者が期待したものの一つに、異性としての男性の本音を知りたい、恋愛・結婚相手としての男性の本心をかいまみたいという要望があったと思われる。こうした記事とともに連載されている小説「お嬢さん」は、読者にとって、異性としての男性の心理・行動を読み物として提供していたと思われる。しかし、沢井景一は恋愛については決して模範的な男性ではない。

景一はかすみとの交際前に、東京駅で「芸者か芸者上りとわかるお化粧をした美しい女」と一緒にいるところを目撃される。女性はショールに顔をうずめて泣いており、景一は当惑している。のちに景一がかすみにした説明によれば、東京駅の女性は学生時代、ナイト・クラブで喧嘩を起こしたとき、助けてくれた柳橋の芸者・紅子で、そのまま熱海まで行き、「その晩、僕の手を引張つてくれた妓と出来ちやつたんです」と告白する。さらに景一は芸者・紅子の他にも「B子」「C子」「D子」と交際相手が複数いると自らかすみに話す。そして、銀座の洋品店「エルドラドオ」で働く浅子については「僕はもう飽き飽きしてゐるんだ。別れたいんだ」と嘆く。

こうした景一の女性関係は、女性には厳しく、男性には許容的な性のダブル・スタンダードの典型である。また、純潔教育では男女ともに純潔がもとめられるが、それはタテマエで、実際は男性に甘かった当時のジェンダー規範が透けて見える。しかし、そもそも純潔教育自体がこうした性のダブル・スタンダートを包含するかたちでスタートしていたという経緯がある。

実は純潔教育はもともと敗戦後の社会的混乱、困窮状態のなかから登場した「闇の女」と呼ばれる私娼・街娼対策の一環として登場したという背景がある。一九六七年に発表された『社会教育における純潔教育の概況』では、純潔教育の施策の起源が次のように説明されている。一九四六年一一月一四日に開催した「私娼の取締並びに発生の防止及び保護対策」を検討する次官会議では、私娼の増加によって、風紀の乱れ、性犯罪の増加、性病の蔓延が危惧された。特に青少年層に悪影響を及ぼすことへの強い危機意識があった。『概況』によれば、この次官会議の決定を基本路線として文部省が打ち出した対策が純潔教育であった。

一九四七年一月に文部省社会教育局長から「純潔教育の実施について」の通達が全国に発せられたのは先述したとおりである。

「私娼の取締並びに発生の防止及び保護対策」では、子女の教育指導によって正しい男女間の交際指導、性道徳の昂揚をはかる措置を講ずること、正しい文化活動を助成して青年男女の健全な思想を涵養するために措置を講ずることが求められた。つまり、私娼取締の方策の一つとして、私娼発生防止の教育的、指導的対策がのちの純潔教育に繋がっていったというわけである。

こうした経緯から、田代美江子は「政府は、「一般婦女子」の「純潔」を口実に、女性が公然と売買される社会を正当化しておきながら、買売春政策によって「純潔」でない女性を積極的につくり出していた。あげくの果てに、純潔教育で「純潔」を強調しようというのである。だとすれば、この「純潔」はまず、女性に求められたものであることは明白である」[10]と厳しく批判する。

純潔教育では、それを実践するのは男女双方に求められるのであるが、実際は女性だけに「純潔」という規範が強く求められていた。小説「お嬢さん」でも、実際、純潔思想を担っているのは女性のかすみであり、男性の沢井景一は結婚前、複数の女性と交際をしていた。小説「お嬢さん」は、このような女性にのみ「純潔」を求める性のダブルスタンダードを反映している。

しかし、かすみは景一の女性関係を非難するのではなく、むしろ許容している。柳橋の芸者・紅子との情事を聞いたときも、かすみは景一の話に嫌悪するのでもなく、「こんな映画もどきの話にすつかり聞き惚れた。彼女の健全な家庭では、つひぞきかれないやうな話だつた。」と感心する。また、結婚してくれなければ自殺するとおどしている浅子から逃れる方法として、「「結婚しちやえばいいのよ、あなたが、……別の人と」〔…〕「たとえば私と」」と景一に結婚を提案する。

両親の「ブルジョア的幸福」に不満を抱いているかすみにとって、景一の女性関係は、夫婦円満で幸福ではあるが、刺激の少ないかすみの両親の家庭生活では味わえないちょっとした冒険のように見えている。

ロマンチック・ラブ・イデオロギーと性のダブルスタンダードは対極の価値観であるように思われるが、近代のロマンチック・ラブ・イデオロギーは、性のダブルスタンダードを包含して成立している。一夫一婦制を基盤としながらも、女性には貞節をもとめ、男性の浮気は「甲斐性」として許容される、そんな文化が昭和三十年代も続いていたといえよう。こうした様相は雑誌『若い女性』の男性についての特集記事にも象徴的にあらわれている。

先に、雑誌『若い女性』には男性についての特集記事がしばしば掲載されていると指摘したが、たとえば、特集「あなたが信頼する彼のなかの悪魔」（一九六〇・九）では、男性は実際「女性を誘惑したいと思っているのです」や「男性が本当の情熱を示すのは、ある女性を征服するまでなのです」（石川弘義「男が考えていること」）、「男は、多少の〝不良性〟をおびていた方が味がある」（白石浩一「あなたを見つめる男の眼」）など、男性の独占欲、不良性、浮気などが許容的に語られているのが特徴である。決して男性の独占欲、不良性を告発するような内容ではない。特集の趣旨をみるとそのことがよくわかる。「彼といる時、ふとあなたの心にしのびよる彼への疑問――彼の心の秘密を知ることが、彼とあなたの愛を、もっと確かなものにするのです」――このように、性のダブルスタンダードを許容することによって、ロマンチック・ラブ・イデオロギーにいたるという男性に都合のいい論理展開を女性読者に刷り込む内容になっている。

おわりに

小説「お嬢さん」では、かすみ―知恵子の二人の対比を通じて、「純潔」のあるなしによって、女性が二分化され、幸・不幸の運命も決定づけられること、また、かすみ―景一のカップルを通じて、戦後の純潔教育では男女双方の結婚前の純潔が求められながらも、それはあくまでも理想で、実際は女性にのみ純潔が求められていたこと、ロマンチック・ラブ・イデオロギーが理想とされながらも性のダブル・スタンダートが許容されていたこと、さらに妻となる女性もダブル・スタンダートを容認している様子が描かれる。

このように近代のロマンチック・ラブ・イデオロギー、純潔思想は根深い問題を抱えているが、エンターテイメント小説「お嬢さん」を通じて、ロマンチック・ラブ・イデオロギー、純潔思想の弊害が読者まで伝わったか、というとそれは疑わしい。そこには、エンターテイメント小説の利点と欠点が関係する。

先に女性雑誌における純潔をめぐる議論は、純潔を守らなければならないという文部省的な既定路線に沿いながら、純潔という関心事に読者を向かわせ、交際中は純潔を守るべきであるか否かという具体的な議論を経て、交際の先に訪れる幸せな結婚へと至る道筋をトレースしている、と論じたが、小説「お嬢さん」を『若い女性』という雑誌に掲載する時点で「幸福な結婚」の結末は規定路線であっただろう。純潔教育、雑誌の恋愛・結婚記事を通じて、読者はロマンチック・ラブ・イデオロギー、純潔思想を啓蒙／刷り込みされる。しかし、四角四面の真面目な記事ばかりでは読者の興味をひくことはできない。

先に、一九五〇年代初頭の雑誌『平凡』などのメディアにとりあげられる純潔には、文部省主導の純潔教育の影響があったと指摘したが、中山良子によれば『平凡』の小説や記事、読者欄に掲載された「純潔の危機」言説は純潔教育のように純潔を規範化するものばかりではなく、「純潔の危機」を描きながら、当時「桃色遊戯」と呼ばれた性行為を描くことができたと中山は指摘する[11]。

　エンターテイメント小説は、純潔を啓蒙／刷り込む教育的効果を発揮することもあれば、「純潔」をエンターテイメントに変換することもできる。

　また、女性雑誌は、女性読者の恋愛観・結婚観に影響を少なからず与えるものである。あるいは、読者たちの期待値を鑑みながら、読者やあるいは世間一般の恋愛観・結婚観に沿うかたちでアイデアが練られることもあるだろう。とすれば、女性雑誌の恋愛観・結婚観記事は、当時の女性たちの願望の最大公約数として想定される。三島はそうした女性雑誌の恋愛観・結婚観を、かすみという女性の上に投影しながら、最大公約数の「現代人の結婚観」を諷刺しようとしたのだろう。そのためには、規定路線の「幸福な結婚」、ロマンチック・ラブをなぞる必要がある。しかし、諷刺をするために、あえて誇張された「幸福な結婚」を、本当の「幸福」と取り間違える読者がいなかったとはいえないだろう。

　小説「お嬢さん」では、結婚後、かすみと景一のアパートに、浅子が突然訪れ、浅子は「あなた、男らしくないわよ。こそこそ逃げ隠れて結婚するなんて」と景一につめよるが、「完全に出来上がつた自然な夫婦のかたち」を実際に見て絶望したのか、ベランダから飛び降りようとする。景一が羽交い絞めにして止めて事なきを得るが、この男女の修羅場の場面は、小説「お嬢さん」の一つの山場であり、読者の興味と興奮をひくものであろう。

　しかし、かすみは元恋人と夫の修羅場を見て憤慨することもない。泣き崩れる浅子、焦燥した顔の景一を見て、かすみは、「これこそ多分、私の求めてゐた理想の結婚生活だつたんだわ。うちのお父さまとお母さまなんか、一度も味わず、夢にさへ見たことのないやうなスリリングな生活！〔…〕でも私、どんなことがあつたつて景ちゃんを離しはしない。……だって今の私は、幸福にちがひないんだもの」――ここでも景一の過去の女性関係は、「幸福な結婚」、ロマンチック・ラブ・イデオロギーに回収される。浅子もこのあと「或る建築技師の人」と恋愛して結婚することになり、兄嫁の秋子と景一の仲を疑っているかすみの眼を覚まさせてくる働きをし、「旦那様がかへつて来たら、しやにむに愛してしまひなさい」とアドバイスする。敵役の浅子もロマンチック・ラブ・イデオロギーに回収されるつくりになっている。

　エンターテイメントの表層にあらわれたメッセージ――かすみのように純潔を守り、婚約者の女性関係を大目に見て、結婚後も、たとえ嫉妬心を起こしても夫を信じてゆくことが「幸福な結婚」にいたる道程だと、この物語から読み取る読者がいたとすれば、「お嬢さん」は罪作りな小説といえるかもしれない。

（奈良大学教授）

注1　『三島由紀夫事典』（勉誠出版、二〇〇〇年一一月）の竹内清己「お嬢さん」の項目（四六頁）

2　三島由紀夫「黒いあこがれ―新連載について」（『若い女性』一九五九年一二月）

3　武内佳代「〈幸福な結婚〉の時代――三島由紀夫『お嬢さん』『肉体の学校』と一九六〇年代前半の女性読者」（『社会文学』三六号、二〇一二年）

4　戦後の純潔教育の展開については、田代美江子「敗戦後日本における「純潔教育」の展開と変遷」（橋本紀子・逸見勝亮 編『ジェンダーと教育の歴史』川島書店、二〇〇三年五月）、小山静子「純潔教育のゆくえ――一九五〇年代前半における文部省」（『日本歴史』八六〇号、二〇二〇年一月）、斎藤光「純潔教育委員会の起源とGHQ」（小山静子・赤枝香奈子・今田絵里香 編『セクシュアリティの戦後史』京都大学学術出版会、二〇一四年七月）などを参照した。

5　小山静子「純潔教育のゆくえ――一九五〇年代前半における文部省」（『日本歴史』八六〇号、二〇二〇年一月）、九〇頁

6　藤井淑禎『純愛の精神誌――昭和三十年代の青春を読む』（新潮選書、一九九四年六月）

7　中山良子「雑誌『平凡』に描かれた純潔」（小山静子・赤枝香奈子・今田絵里香 編『セクシュアリティの戦後史』京都大学学術出版会、二〇一四年七月）

8　池谷壽夫「純潔教育に見る家族のセクシュアリティとジェンダー――純潔教育家族像から60年代家族像へ」（『教育学研究』二〇〇一年九月）、一七頁

9　石田あゆう「「若い女性」雑誌の時代」（『文学』二〇〇八年三・四月）によれば、雑誌『若い女性』をはじめ戦後登場した女性雑誌は、既存の婦人雑誌や少女雑誌ではカバーできない、働く若い女性をターゲットにした雑誌として創刊された。

10　田代美江子「敗戦後日本における「純潔教育」の展開と変遷」（橋本紀子・逸見勝亮 編『ジェンダーと教育の歴史』川島書店、二〇〇三年五月）、二一八頁。

11　中山良子「『乙女の性典』と純潔―新制中学生・高校生のセクシュアリティとメディア」（『日本学報』三〇号、二〇一一年三月）

〔付記〕「お嬢さん」本文の引用は『決定版三島由紀夫全集』八巻（新潮社、二〇〇一年七月）によった。

現代演劇のアダプテーション
――三島由紀夫『鹿鳴館』における歌舞伎の方法

久保田裕子

一　現代演劇における古典演劇の導入

三島由紀夫の戯曲『鹿鳴館』（「文学界」一九五六・一二）は、文学座二〇周年記念上演として同年一一月二七日～一二月九日まで第一生命ホール（東京）が初演となった。三島は「はじめて書いた「俳優芸術のための作品」」（「『鹿鳴館』について」「毎日新聞（大阪）」一九五六・一二・四）と述べているが、主演の杉村春子は「三島さんとの十年」（『十日の菊』パンフレット、編集発行・文学座編集室、一九六一・一一）において、『鹿鳴館』は私の生涯の中で幾つと数えられるほど好きな、大切な舞台」と述懐している。奥野健男は「『鹿鳴館』について」（『鹿鳴館』パンフレット、文学座・水戸公演、水戸・総合体育館、一九五七年一〇月二六日公演）において、「日本演劇の現状」として、「歌舞伎でない様式劇、あるいは古典劇、リアリズム演劇でない現代劇を日本に打ち建てる者は、歌舞伎界からも新劇界からも決して出現し得ないだろう。それはどちらの既成概念にもとらわれない全く新しい次元からしか、産れない」と述べている。奥野の指摘から、当時の文学座をめぐる状況として、新劇などの「現代劇」と歌舞伎という「古典劇」との間隙をつなぐ演劇表現が求められていたことがうかがえる。言い換えれば『鹿鳴館』においても、一九五〇年代当時から歌舞伎から現代演劇へというジャンル移植と新しい様式の再構築という問題が意識されていた。冉小嬌の「三島由紀夫「鹿鳴館」と杉村春子―水谷八重子との比較を通して」（「演劇映像学　演劇博物館グローバルCOE紀要」二〇一一・四）は、文学座と新派における『鹿鳴館』上演の経緯について詳述しており、木村陽子の「三島由紀夫『鹿鳴館』のアダプテーション―〈銃声〉の多義性と選択―」（「日本文学研究」二〇一九・二）には『鹿鳴館』の舞台の上演やテレビ・映画・オペラ化の記録が掲載されている。『鹿鳴館』について多様なメディアを通して再創作されてきた経緯を通して、メディア特性に適応した新たな解釈可能性が切り開かれていき、結果として三島演劇の受容層を拡大していった経緯がこれらの論考から明らかになった。

演劇というジャンルにおいては戯曲テクスト以外にもさ

まざまな領域が関与している。演出家や俳優という読者による解釈を経てテクストの読み替え・読み直しが行われる動的な創造の場となる演劇は、舞台装置、大道具・小道具、衣装、音楽などの複数領域が関わる総合芸術である。『鹿鳴館』の劇団新派における上演に際して、三島は「筋立は全くのメロドラマ、セリフは全くの知的な様式化、といふ点に狙ひがあるので、特にセリフにすべてがかかつてゐる以上、セリフの緊張感がゆるめば、通俗的なメロドラマしか残らない。」（「美しき鹿鳴館時代―再演「鹿鳴館」について」新派プログラム、一九六二・一二）と述べ、台詞に基づく表現について強調していた。一方で集団創作的な演劇という領域において、三島文学の評価の刷新や再創造が行われる契機が生じてきたという経緯がある。本論においては、『鹿鳴館』の上演史の中で劇団花組芝居の『鹿鳴館』上演の経緯と三島演劇の影響について考察し、現代演劇における歌舞伎などの古典演劇をめぐるアダプテーション的創作のあり方について、一つの事例として位置付けてみたい。

二　『鹿鳴館』上演における文学座、劇団四季、花組芝居の舞台

文学座における『鹿鳴館』舞台上演に際して、歌舞伎の身体表現につながるような演出上の工夫がされており、主演の杉村は、明治時代の元芸者という役柄について、「あれは実際どうやっていいか最初わからなかつたわ。特に二幕で舞台中央と上手にわかれて割り台詞をいうところなぞ、なにしろ初めてなので随分とまどつたし、勇気がいつたわ。」（「新春公演座談会　再演に寄せて」（出席者：松浦竹夫、尾崎宏次、戸板康二、杉村春子、中村伸郎、荒木道子）（『文学座第五回慈善公演』パンフレット、文学座編集室編、一九五八・一、『鹿鳴館』渋谷・東横ホール、一九五八年一月七日〜一五日公演）と証言している。初演から演出を務めた松浦は後に、「歌舞伎の端場を思わせる幕明きの女達の修辞句の多い対話の妙や、特に二幕目の上手と下手の独立した会話が関連する割りゼリフめいた陰謀立聞きの場面」について、「さすがの杉村さんも納得いかなくて音を上げた」（「わが『鹿鳴館』」「悲劇喜劇」一九八四・一〇）と証言している。従来のリアリズム演劇の手法では対処できない様式化された演技が要求され、歌舞伎の手法を取り入れて日本の古典演劇を融合した台詞劇について、新劇の身体表現に慣れていた俳優にとまどいがあったことがわかる。杉村の証言によると、三島は「大芝居、大見得切ってやんなさい」（大笹吉雄『女優杉村春子』（集英社、一九九五・八）と助言したという。文学座版『鹿鳴館』は杉村という俳優個人の身体と台詞回しの妙にその魅力を負っており、三島も戯曲における台詞の重要性を指摘する一方で、俳優の持つ芸の重要性を知悉していたと言える。例えば第一幕で主役の影山朝

子が三枚重ねの着物の立ち居振る舞いを見せることで、第三幕のローブ・デコルテへの変貌が生きてくるが、着物を着た所作を見せる身体芸であり、なおかつ観念的で修辞に富んだ長台詞を操ることが要求された。三島が目指したのはレーゼ・ドラマではなく、日本の伝統的身体芸を西欧的な台詞と共に表現するという方向性であり、言い換えれば演劇的理想を実現するための器としての俳優の身体を必要としていたと考えられる。一九六〇年代後半に展開した小劇場運動の中で試行された演劇における身体的表現を追求する方向性とは異なっていた。一九六六年に別役実らと早稲田小劇場を設立し、劇団ＳＣＯＴを主宰した鈴木忠志は、スズキ・メソッドという能を基本とした身体訓練を確立し、伝統的な身体を通過することで、新たな演劇的な身体性を構築することを模索した。しかし『鹿鳴館』における場面の展開は、あくまで日本の伝統的衣装の着物から西洋的なローブ・デコルテという衣装への転換であり、文化的様式に合致した所作への転換を目指していたと言える。

二〇〇〇年代に入り、『鹿鳴館』の上演も新たな局面を迎える。舞台ちらしには「劇団四季の鹿鳴館」と銘打った劇団四季の舞台（演出・浅利慶太、出演：野村玲子／日下武史、自由劇場、二〇〇六年一月一四日〜六月一〇日公演）には「演出家への12の質問」（「『鹿鳴館』パンフレット」劇団四季編集部編、二〇〇六・二）が掲載されている。浅利慶太は、「今回の演出のポイント」として、「観客を正しく、作家の世界に導く」ことであり、「五十年、言葉を正しく語ること、文学を語ること、その努力を続けてきましたが……」と述べ、作家の言葉を「正しく」「導く」ことを演劇の役割としてとらえていることがわかる。さらに野口武彦は同パンフレットに寄稿した「三島由紀夫を語る3　情念の舞踏会」（『鹿鳴館』パンフレット）において、舞台と三島自身の死を重ね合わせ、「古典悲劇では情念と情念がぶつかりあい、容赦なく破局に向かって突き進む」と述べ、「完璧な演技力で凡庸な日本社会と距離を保っていた三島由紀夫が、ついに市ヶ谷屯所のバルコニーに突出していったように」と位置付けて、作家の現実と演劇とを重ね合わせている。劇団四季版『鹿鳴館』では、三島と同時代を生きた世代の証言として、作家自身の評伝的事実を含めた歴史的出来事の反映として演劇をとらえるという発想に立ち、その上で舞台を構築していたと考えられる。劇評においては、越光照文は「文学が第一義的にあって、いつも私が言うことなんですが、舞台というのはその解説、説明する側に立ってしまっている。」、「説明役、文学の解説役に回っている舞台をものすごく予算をかけて、そして訓練された俳優たちがその演出家の言うとおりに破綻なく舞台化しているという印象」（田之倉稔・越光照文「劇評　演劇時評」第五回（「悲劇喜劇」二〇〇六・四）と指摘しているが、舞台の世界は外側にある現実世界を反映するというリアリズム的な立場に基づく前提への批判と言ってよいだろう。このような上演方法は、演劇に作家自身の評伝的事項を還元するような作家論的方法論が働いている。それは舞台の外部に実在する歴史や事実が舞台上の世界においても再現可能であるという前提に支えられており、舞台の内部の領域が、外部にある世界と直接的に対応しているという発想に基づいていると言える。

一方で『鹿鳴館』上演史においては、戯曲に内包された歌舞伎の方法が問題化されてきた。劇団花組芝居は、「花組芝居創立三十五周年記念上演第一弾」として二〇二一年一月一二日に『地獄変』のライブ配信を行い、『鹿鳴館』が「同第二弾」として、あうるすぽっと（東京上演）二〇二一年一一月一七日～二七日公演、ＡＢＣホール（大阪上演）一二月三、四日公演が行われた。【カツレツ組】／【コロッケ組】というＷキャストの配役はそれぞれ次の通りである。影山伯爵：小林大介／原川浩明・影山朝子：谷山知宏／加納幸和、大徳寺季子：横道 毅／松原綾央、大徳寺顕子：大井靖彦／永澤 洋、清原永之輔：桂 憲一／押田健史、清原久雄：丸川敬之／武市佳久、飛田天骨：北沢洋／磯村智彦、女中頭草乃：秋葉陽司／山下禎啓。

花組芝居は俳優・演出・脚本を兼任する加納幸和を座長とし、「「かぶきの復権」を目標に活動」（「花組芝居とは」発行人・加納幸和『花組芝居　創立三十周年記念大全集』花組芝居、二〇一八・四）を続ける劇団である。上演題目の題材は歌舞伎だけにとどまらず翻訳物、現代物、漫画原作物など多岐にわたり、女形などの歌舞伎の古典演劇の表現を現代演劇の土壌に生かす創作活動を行ってきた。『拝啓　かぶき座の怪人さま』（近代文芸社、一九九四・一一）の「著者紹介」において、加納は「１９８４年より個人プロデュース『加納幸和事務所』を活動の基盤とする。１９８７年（Ｓ６２年）春、『花組芝居』と改名して、創作形態を、一過性のプロデュースシステムから長期的集団創作（劇団）に移行させて、現在に至る。歌舞伎を題材に、演者と観客が時空間を共有する「かぶき」にこだわりながら、古典という枠を超えた舞台作りをしている。」と述べているが、加納は初期の活動から三島演劇の影響について言及している。次に花組芝居版『鹿鳴館』の演出方法と、歌舞伎との関係について考察したい。

三　花組芝居の『鹿鳴館』上演
―歌舞伎の手法

花組芝居版『鹿鳴館』の舞台においては、音楽は歌舞伎の柝の音、附け打ちなどが導入され、囃子や太鼓の効果音も用いられているが、星出尚志による全編オリジナル楽曲である。加納は『鹿鳴館』上演時のインタビュー「演出家と話そう」（「えんぶ」二〇二二・一二）において、次のように述べている。

　三島は鹿鳴館の晩餐会を美しき記憶として劇作したようですが、この芝居では、上演チラシに入れたビゴーの諷刺画のように、西洋の真似ごとで背伸びをしているという発想で、衣装のドレスも着物のパーツを組み合わせたり、音楽もチンドン屋風になります。

　さらに加納は、「今までの『鹿鳴館』は華麗さで観せるものが多かったと思いますが、うちがそれをやっても仕方ないので。ニセモノだらけという発想で作ろうと思っています。」と述べている。「キッチュ&エキゾティックな舞台音楽にも注目」という上演の意図について、「三島は小説もそうですが、いろいろな演劇的仕掛けをしているので、「三島ってこんなに面白いんですよ」とその面白さを伝えたいですね。」（「演出家と話そう」）と技術的側面について強調している。加納はかつて関弘子から、「日本の俳優なら、女はお引きずりやロングドレスの裾捌き、男は殺陣と長袴が扱えなきゃ駄目」（「「座長のおでまし　女形をはじめたのはね…」（「花組通信」一九九八・四・二五）と諭されたと述懐しているが、『鹿鳴館』はまさにそのような伝統的な身体芸を発揮する舞台であったと言える。

　花組芝居版『鹿鳴館』の演出において、舞台装置や衣装などの視覚的表現は誇張されており、歴史的過去を再現するようなリアリズム的な表現からは隔絶されているが、現在の歌舞伎に見られる様式を忠実に再現しているわけではない。第一幕で目につくのは、梁や柱が歪んで安っぽく、いまにも倒れそうな影山伯爵邸の舞台装置であり、舞台上の世界の贋物性や危うさが視覚的に提示されている。登場人物の衣装も色彩豊かであるが過剰な装飾性を持ち、派手なアクセサリーをぶら下げ、髪飾りも不自然に大きくて悪趣味に近い。朝子の衣装は比較的地味であるが、メイキャップは白塗りで、飛田天骨は隈取りのような派手さである。チンドン屋風の音楽の合間にさまざまな鳴り物が用いられており、効果音に応じる俳優の演技は大げさでコミカルな動きをしている。例えば第一幕で、朝子と清原久雄が再会する場面で最後に大砲の音が響き、台詞が中断される。古典的な親子の名乗りの場面に近代化された暴力的な政治性が介入していることを示唆していると考えられるが、そのような演劇的設定の作為的な不自然さを強調するかのように、俳優たちは大砲の音にいちいち反応しては大げさに驚く演技をしている。

　また第二幕の朝子と清原永之輔の二十年振りの再会の場面においても、若く見せたくて張り切っている朝子を茶化すかのように、腹心の女中頭の草野が小太鼓を叩きながら先導するなどト書きにない場面もある。親子の名乗り、恋人同士の再会のようなメロドラマ的な設定は誇張した演技でユーモラスに演じられているが、それがメロドラマ的な演技への距離をおいた批評性につながっている。朝子が大声で歌い上げるように台詞を言うと、清原が「聞こえないということじゃないんだけど」というテクストにない台詞で応えるが、大時代的な誇張表現の演技へのメタ的な批評性が笑いに転換される場面と言える。三島が文学座上演に際して杉村に指示したとされる誇張された演技が、ここでは批評的にとらえ直されている。また影山伯爵が歌舞伎のように見栄を切る場面もあるが、手にしているのは巨大な菊の造花である。つまり歌舞伎の様式を引用しつつも、現在の歌舞伎の形態を模倣することなく、歌舞伎表現の猥雑さを誇張して少しずらした演出によって、非日常的な空間が演出されている。

　第三幕の鹿鳴館の舞踏会の場面で立ち働いている給仕たちは、全身真っ赤な黒子風衣装を身につけているが、所作は猿のようであり、一瞬ではあるが、朝子と影山伯爵も猿のような所作をする場面がある。最後の舞踏会のダンスの場面では、猿のような群衆が乱入して混乱を極め、舞台の幕が下りて退場案内のアナウンスが始まってからも猿の鳴き声が鳴り響き、舞台の外側の現実にもこの喧噪が侵食し広がっていることを示唆している。ところどころで笑いを取ることが劇団の特徴であり、『鹿鳴館』でも笑いをまじえてユーモラスに描かれているが、原作の潜在的な笑いの要素を喜劇的に誇張し、エンターテインメント性を高めている。過去の演劇的記憶に影響を受けながらも、単なる模倣や反復ではなく、むしろ過去の演出から距離を置くことによって、結果として『鹿鳴館』の舞台の記憶についての批評的立場に立っている。しかしそのような意味論的な重さを感じさせない軽妙な笑いが勝った舞台である。

　あらためて三島自身の自作解説を参照すると、「鹿鳴館時代は当時の錦絵や川柳によれば、まことに滑稽でグロテスクで、一場の開化の猿芝居であったらしいが、今われわれが舞台の上に見るこの父祖の時代は、ノスタルジヤに彩られて、日本近代史上まれに見る花やかなロマンチックな時代と映る」（「美しき鹿鳴館時代―再演『鹿鳴館』について」）と述べている。鹿鳴館時代をめぐって流布していたさまざまなイメージについて、「こんな風に、或る現実の時代を変改し、そのイメージを現実とちがつたものに作り変へて、それを固定してしまふ作業こそ、作家の仕事であつて、それをわれわれは、ピエール・ロチ（日本の秋）と芥川龍之介（舞踏会）に負うてゐる」（「美しき鹿鳴館時代―再演『鹿鳴館』について」）と述べ、鹿鳴館時代の歴史の再現ではなく、先行テクストをもとにテクストを再構築するという方法論が「作家の仕事」であると強調している。

　舞台では清原の台詞を借りて「貴婦人方を芸妓同様に思ひ、あのダンスを猿の踊りだと見てゐます」という欧化政策批判を展開し、朝子も元新橋芸者として明治の皮相な西欧文化を軽蔑する立場を象徴している。このように鹿鳴館という場所が、一種の「猿芝居」の現場であることを遊戯的な演出を通して描き出している。しかし一九五〇年代に執筆された本作において、欧化主義を批判する文明論が思想の主張として展開しているというより、過去の小説テクストをアダプテーション的に導入して再創造し、舞台装置、衣装などのさまざまな視覚的転換に基づく演劇的な構造に転換して示していると考えられる。そして舞台の見せ場である朝子の着物からドレスへの転換の場面は、日本の近代化、西洋化という明治国家の政策に、とりあえず賛同した「ふり」を見せることであり、朝子は「いつはりの夜会」や「いつはりの微笑」を「欺瞞」を承知で演じている。しかし贋物性の自覚は、偽善的で虚無的な政治の力学を批判するというテクストの意味論的な内容として機能しているというより、虚偽を演じ切る朝子の姿勢は、そのまま舞台上で所作を含めた形式としての演技をいかに見せるかという台詞回しや身体所作を含めた演劇的姿勢へと転化されている。つまり朝子の「いつはり」、則ち演技がそのまま役者の所作を通して観客の前に展開していく。このような花組芝居版の演出は、演劇という虚構と歴史的背景を持つ現実との関係性において、舞台の外部としての現実を参照するような思考の枠組から外れており、そのような演劇的姿勢を、アダプテーション的な再創造を通じて浮かび上がらせていったと考えられる。

　花組芝居版『鹿鳴館』では、演出的な冒険をしつつも、テクストに内包されていたユーモアを強調して見せ、原作の潜在的な笑いの要素を喜劇的に誇張し、結果としてエンターテインメント性を高めることになった。写実を越えて様式的手法を踏襲しながらも、歌舞伎の伝統的形式の忠実な再現ではなく、伝統と現代とのはざまにある様式美を描き出す方向に向かっている。ここには参照するべき歴史的な鹿鳴館時代は存在せず、例えば先に述べた劇団四季版『鹿鳴館』のように、歴史的な「事実」や「伝統」へと回帰しようとする、言い換えれば回帰して再現することが可能であるという前提を持たないという点で異なっている。花組芝居版『鹿鳴館』と劇団四季版との大きな差異は、「いつはり」の深層にある真実という領域の存在が、前者ではテクストの解釈から除外されている点にある。劇団四季版では、浅利が抱いていた三島についての同時代の演劇人としての記憶に基づいて、舞台上の「いつはり」を補填する作家論的な事実関係を舞台の深層にある真実として取り扱うという姿勢で貫かれている。

四　現代演劇と歌舞伎のアダプテーション

『鹿鳴館』に先立つ花組芝居の『地獄変』上演について、「花

組芝居　加納幸和さんにインタビュー　花組芝居　三島由紀夫没後五十年　プラス『地獄変』」(２０２１ 都民芸術フェスティバル 公式サイト (tomin-fes.com)二〇二三年一一月二〇日最終閲覧)において、加納は「芥川龍之介の原作から刺激を受けて三島さんが作った世界、さらにそれにインスパイアされて花組芝居が作った舞台をお客様がご覧になって刺激を受け、お客様自身のイメージがふくらみ、視野が広がるといいですね。」と述べている。古典テクストを書き換えて現代に再生するような創作活動について、リンダ・ハッチオンは、「ストーリーが異なる文化や異なるメディアへと移行する」ことに物語の進化と快楽がある(片渕悦久・鴨川啓信・武田雅史訳『アダプテーションの理論』晃洋書房、二〇一二・四)と述べている。創作の過程としては、三島が芥川のテクストに影響を受けて戯曲を創作し、先行テクストを踏まえて加納が再創造しているが、芥川もロティの影響下に「舞踏会」(『新潮』一九二〇・一)を執筆している。ここには当初は読者であった側が、テクストに触発されて創作者へと向かっていく創作のプロセス、つまり読むことが書くことに接合されていくような受容と創作をめぐる動的なありかたが展開している。さらに歌舞伎の伝統的様式が導入されるなど、戯曲テクストと身体的表現様式の双方において、アダプテーション的方法を自覚的に取り容れていることがわかる。ここには創作する側と受容する側との関係性には境界がなく、相互の協働関係が次々に連鎖して新しい創作が生み出されていく過程が意識化されていると言ってよい。

加納は「ＭＩＳＨＩＭＡの歌舞伎」(『拝啓　かぶき座の怪人さま』)において、義太夫入りの歌舞伎台本『地獄変』(一九五三・一二)、『鰯売恋曳網』(一九五四・一一)、『芙蓉露大内実記』(一九五五・一一)、『椿説弓張月』(一九六九・一一)などの三島歌舞伎について、「擬古典(古典的な約束事や、慣習的な要素でもって構成した)の新作」と位置付け、「昔から腐る程やってきた古典のつぎはぎ」であるとしながらも、「読んで見ると、自分も含む、三島同様の歌舞伎好きには、ワクワクするようにできた作品であることは確かです。」と評価している。加納は劇団の創立当初から三島歌舞伎の方法論を援用しており、『櫻姫曙草紙』(作・演出、加納幸和、パルコ・スペース・パート3、一九八八年三月三日～一〇日公演、札幌本多劇場、四月二七日～二九日公演)の「演出ノート」(『花組戯場図会』新書館、一九八九・七)において、次のように注記している。

三島由紀夫が櫻姫を菊姫に書替えて、「櫻姫全伝曙草紙」からモチーフだけを借りて、一幕物に創作したのが、「むすめごのみ帯取池」。その「櫻姫——」を読んで驚いたのは、いかにも歌舞伎好みの趣向がつまっていて、馬琴の「椿説弓張月」を三島風擬古典歌舞伎に直した例に倣って、原作を更に歌舞伎臭一杯の作品にしました。

さらに新演出で再演した「櫻姫金傳曙草紙」の上演に際しては、「再演に際して山東京伝の原作題名に戻し、脚本も新たに書き直し」（『座長ご挨拶（一九九三）初演を振り返って』『花組芝居　創立三十周年記念大全集』）たという創作の過程を明らかにしているが、複数のテクストから影響を受けつつも、創作に際してはオリジナルを限定せず、自由に参照しつつ往還する過程が提示されている。「かいせつ」（『櫻姫全伝曙草紙』パンフレット、花組芝居、新神戸オリエンタル劇場・一九九三年三月一一日～一四日、新宿シアターアプル・三月二六日～二一日公演）においても「さまざまな文芸作品のモチーフとしてその姿を見せている」と述べ、三島歌舞伎をその一例として挙げている。

このように歌舞伎に倣った新作について、読本を歌舞伎脚本にするという三島の方法論を踏襲したと述べているが、加納は三島演劇との出会う以前から、「絢い交ぜ」という歌舞伎に由来する創作の方法論に馴染んでいた。一九八〇年代の旗揚げ当時の活動について、「花組芝居の顔見世狂言」（『月報13』髙田衞・原道生責任編集『叢書江戸文庫㉓文化二年十一月江戸三芝居顔見世狂言集』国書刊行会、一九八九・九）において、「既成作品のパッチワークが精一杯」と述べつつ、演出においては「原作の一番面白い所、役者の一番魅力的な所を、継ぎかつ組み合わせる作業は本当に楽しいものである」と述べている。つまり豊かな観劇経験の記憶を源泉として、プレテクストとなる古典を典拠として、再構成して創造するという方法論について劇団の創立当初の段階から自覚的であったことがわかる。

再びリンダ・ハッチオンを参照すると、アダプテーションをアダプテーションとして体験するのは、受容者自身にかかっている。ひとつの物語について、さまざまなアダプテーションを全体として楽しむことは、知的な快楽をもたらすものであるが、「解釈とそれから新しいものの創造という二重のプロセスがつねに存在している」（『アダプテーションの理論』）と述べている。つまり鑑賞者自身が新たな創作者になる過程を示唆しており、加納の方法論は過去の演劇や芸能の記憶を基盤としながら、演劇という表現メディアにある、アダプテーションに基づいたブリコラージュ的な方法を採用してきたと言える。

日比野啓は現代演劇において歌舞伎などの伝統演劇をどのように受け継いでいくかという問題において、花組芝居は歌舞伎の様式を踏襲しつつ、「代表作の多くが、たんに歌舞伎を題材にしているというだけでなく、歌舞伎の「絢い交ぜ」の手法、すなわち複数の作品の「世界」を重層的に引用することで成立している」（日比野啓・児玉竜一「演劇人インタビュー」「演劇人インタビューシリーズ（三）加納幸和（花組芝居）インタビュー」（『成蹊大学文学部紀要』第三八号、二〇〇三・三)と述べ、さらに次のように指摘している。

一九七〇年前後、加納氏がまだ幼い頃に接した昭和の歌舞伎、とりわけ六世中村歌右衛門の芸でもある。あるいは「てなもんや三度笠」で伊東四朗が女形で出てくるといった、歌舞伎がまだ生活文化の中に生きていた頃に作られたテレビや映画の「歌舞伎的なもの」である。

日比野は「加納氏の創作の核となっているのは、こうした幼い頃の記憶」であると強調しているが、そのような記憶が「綯い交ぜ」という方法論を単なる模倣ではない自在なテクスト同士の往還という動的な運動にしているが、このような事情は三島の観劇体験に基づく創作の姿勢とも重なり合うだろう。

日比野は『三島の子どもたち―三島由紀夫の「革命」と日本の戦後演劇』(白水社、二〇二〇・一二)において、「花組芝居の特異性」について指摘し、「日本の現代演劇を考える上でも、現実を再参照しない―舞台上に表現される(はずの)ものが現実を表象しているかどうか事後的に検証しない―という伝統演劇の特質は重要」であると指摘し、日本の現代演劇が持つ伝統演劇との向き合い方の一例として花組芝居の活動を挙げている。現実を再参照しない伝統演劇の発想に通底する発想として、加納は歌舞伎などの古典的表現をいかに現代演劇に接合させ、いかに新しい表現形態を模索していくかという三島が対峙していた課題を継承していったと言える。

花組芝居の劇団設立当時の劇評として、松井憲太郎は「新しい集団を探しに　第三回」(「テアトロ」一九八八・一〇)において、次のように述べている。

この上演で行なわれた原作の様々な改竄は、作者の現代的な感性で任意になされたというより、ある伝統的な歴史に対しての記憶がベースに置かれているらしい。それは神話的な説話のいくつかが、能、説教節、歌舞伎、浄瑠璃劇などの新たな表現形態の生まれる過程を通過する中で、時代状況に応じて融合、改編を繰り返してきた芸能史的な記憶で、またそれを行なった民衆の想像力に対する憧憬が、これらの手法を作者に選択らさせていると考えられる。

つまり「ネオかぶき」を自称する加納のテクストは日本の古典に材をとっているものの、上演に際して古典作品を現代に蘇らせる上で、「原作の様々な改竄」がなされる。古典に構造や表現を借りながら、そこからは離脱して時間を超越した舞台上の世界を生み出している。松井は創作の過程を支えるのは過去の「芸能史的な記憶」であり、それを共有してきた「民衆の想像力に対する憧憬」であったと指摘している。加納の少年時代の身近にあった芝居やテレビなどの日常の中に歌舞伎の表現が見られたような時代の記憶が、その後の歌舞伎の観劇体験へと結びつき、受容体験が新たな演劇の再創造に向かったことがうかがえる。三島自身も子供の頃からの能・歌舞伎などの古典芸能に親しんできたが、このようなあり方は、単に古典を導入することによって、現代演劇を活性化するというような方法論とは異質なところに成立している。いわば古典の世界と現代演劇を往還するような観劇の記憶が、アダプテーションという方法を成立させる推進力になっていたと考えられる。このような点で、新劇への批判的な立場として歴史的に位置付けられる一九八〇年代以降の現代演劇において、加納の三島演劇への共感のあり方は特異であったと言える。

　加納は三島歌舞伎について、「三島は、子供のころに見た、どろどろした江戸のにおいの残る歌舞伎の記憶に魅せられて書いているから、歌舞伎がもともと持っていたいいものがみんな入っている。」（加納幸和・今野裕一「対話　歌舞伎と性差をめぐる冒険」（「ユリイカ」一九九六・一二）と述べているが、現代演劇において、歌舞伎をどのように導入するかという課題にもつながっている。加納は古典を引用して現代演劇として再創作するという方向性を三島に学んでいるが、その根底にあったのは、劇場という場における豊富な観劇体験であったと言える。

　ところで歌舞伎を見続けて血肉と化し、自己の古典にまつわる記憶から創作を続けていた橋本治は加納との対話において、現代演劇の課題について、「動きが肉体の動きじゃなくて、言葉という観念の動きだけでしかないのがレーゼドラマですよね。」と述べている。さらに「擬古典の動きに意味を盛れるような、新劇でもない、歌舞伎でもないような演劇っていうことになるけれども、逆にそういう柔軟な演劇がないと、これから先、困るんじゃないのかなという気がしますね。」（一九八八・七・一五、橋本治、構成・加納幸和「幻の歌舞伎を読む―歌舞伎台本の世界」（「すばる」一九八八・一〇）と問題提起をしている。このような発言は冒頭で述べたような一九五〇年代における文学座の演劇へと向けられた、新劇などの「現代劇」と歌舞伎という「古典劇」の融合という課題についての奥野健男の言葉とも重なり合っており、現代演劇という領域における継続的な課題であったことがわかる。三島演劇も元は読者であったさまざまな演劇人によって、新たな受容がされ、再創造化される時代を迎えることになった。

（福岡教育大学）

評伝・作品史

戯曲の多様な展開 ——『近代能楽集』から『鹿鳴館』へ——

松本　徹

『金閣寺』連載開始の一年前に、『班女《はんぢょ》』一幕（新潮、昭和30年1月）を発表、〈近代能楽集〉は五篇となった。その年の十二月五日、『綾の鼓』が断絃会によって「円形劇場形式による創作劇の夕べ」で上演された。武智鉄二演出で、観世静夫、桜間道雄ら第一線の能狂言役者と長岡輝子の出演であった。翌年三月には、『卒塔婆小町』が石桁真礼生作曲、朝比奈隆指揮、関西歌劇団のオペラとして、やはり武智演出で、こちらは大阪・産経会館で上演された。その翌四月、戯曲集『近代能楽集』が刊行された。

これによってこの一連の戯曲が持つ意味が、一段と明瞭になったと言ってよいだろう。わが国の伝統演劇に基づくこの企てが、明治以降のいわゆる近代演劇とは異質だが、新たな可能性を押し開くのを、少なからぬ人々がはっきり認めるようになったのだ[注]。やがてこの一冊がドナルド・キーンによって英訳、アメリカで刊行され、世界各地で上演されることになる。

同時期、これと別の異質な野心的一幕ものも書いた。『三原色』（知性、30年8月）と『船の挨拶』（文藝、同月）である。

『三原色』は、夏の海岸も遊泳地に面した別荘の庭を舞台とし、登場人物は海水着姿の若く美しい男女三人である。この設定と題名からその意図は明確であろう。いわゆる人物像なり、生活ぶりは剥ぎ取り、人間世界の原理的、理念的在り様を、文字通り裸形で、提示しようとするのだ。もっともこのため、当時、三島の書く戯曲は書き上げられると即座に上演されることが多かったが、こうした実験的作となると、舞台に乗せようとする者は現われず、初演は七年後、三島と特別の係わりのあった堂本正樹を待たなくてはならなかった。

この二十五歳と十九歳の夫婦は、恵まれた家に生まれ、職業に就くことなく日々を送っている。だから夫計一は言う、「まだ人生に直面してゐないやうな気がする」「人生つて、何か、窓からぽかつと顔を出すお化けみたいなものが来るんぢやない？」。それに対して妻亮子は、六歳も下だが、結婚した「十八の年から、もう立派に人生がはじまつてゐてよ」と応じる。そうして夫の友人で妻と同年の若者がそろそろやって来そうだと言いながらも、夫はひと泳ぎして来ると去る。

ここで言う「人生」とは何であろう。残された妻は携帯ラジオでジャズを聴きながら、本を開くものの集中できない。そこへ当の若者俊二が半袖シャツでやって来て、勝手にラジオのスイッチを切る。その振舞に妻は苛立つが、当の彼は、「暑い。暑い」といいながら、コーラを飲み、着衣を脱ぐと、夫と同じ海水パンツをはいている。前に来た時、計一のパンツを見て、同じのを買い求めたのだと言い、何であれ自分は彼の真似をしようとしている、君が好きなのもそのためで、「だからあんなことになつたんだ」と言う。亮子は、「あたしも」と応じ、「どつちもおんなじくらゐ好き」「二つの角砂糖みたいに、全然おんなじくらゐ。だから、あなたにも、おんなじことをしてあげてもかまはないと思つちやつたんだわ」と。しかし、「世間つてさうも行かない」と言い出す。

それに対して俊二は、「世界中のあらゆるものが、僕たちを中心に廻つてるんだ」「僕たちのしたことは、みんなほかの人たちの掟になるだらう」「その素みたいなものなんだ。原素つていふのかな」「だから僕たち自身には、別に掟も道徳もないんだよ」という。この考え方は、実は計一のもので、日頃から二人とも聞かされて来ていたから、ともに混乱する。

そうして一週間前の夜、計一がおばさんの家へ行ったので、俊二と二人が海岸を散歩、月がきれいなまま海に入り、砂浜を転げ回ったことを亮子が言い出し、「あのときのあなたが、神さまみたいにきれいだつた」と言えば、俊二も「君こそ神さまみたいだつた」と応じる。

そうしたやりとりをした末、俊二は言う、「完全なものつて、一人だけでは出て来ないのさ。君と僕がつながるとき、君と計ちやんがつながるとき……完全な大きな輪が、おぼろげに見えるやうな気がしない?」

亮子は同意せず、あのとき私はあなたを選んだのだが、あなたはそうではなかったのねと訊ねると、俊二はケロッとして「さうだよ」と答える。これに亮子は腹を立て、ラジオのスイッチを入れる。

そこへ計一が戻って来て、「僕はやつと今、お化けを見たよ」と言う。そうして俊二に、お化けとは「君のことなんだよ」「さあ僕の人生がはじまるんだぞ」と嫉妬し始めているのを告げる。俊二が聞き咎め、「人生なんて。よせよ」。「僕たち三人はそんなことを永遠にはじめなくたつていいんだよ」と言う。

「すごい誘惑の言葉だ」と、夢見るように計一が呟けば、亮子は拒み、「私をしつかり見て」と夫に向って「私たちは人間なんだよ」と主張する。ところが夫は「それでも僕たちには心がないんだよ」と言えば、俊二も賛同して、心は「ないと思つてごらん」と亮子に言うと、彼女は「泳いで、ゆつくり考へてみるわ」と水着になると、ひとり駆け去る。

残された男ふたりが向き合うが、年下の俊二が君も奥さんもどちらもすごくきれいで、どちらも好きで、君の奥さんだからああいうことをしたのだと言えば、計一も、きれいなのは君だよ、君のようになりたい、と言う。その末、三人がこうした「瞬間」を保持するためには、「人生をはじめなければいいんだ」と俊二が言えば、計一は「人生をはじめない。これ以上の誘惑はないよ」と応じて、「やつと環がつながつたんだ！」と男同士、抱き合って接吻する。

そこへ亮子が戻って来るが、二人は気づかない。ラジオを点け、「私だけ余計だつたのね」と言い、立ち去ろうとすると、二人それぞれが引き留め、キスしていて一人足りないと感じたと言うのだ。亮子は御伽噺はたくさんよと怒るが、俊二は言う、「やつとわかつた。僕たちつて三原色みたいなんだ。ほかのあらゆる色の原素、僕たち一人が欠けても、世界中の色は減つてしまふんだ。三原色……赤、黄、青、……僕はきつと黄いろなんだ」と言えば、それに応じて計一が「僕は青」と言い、「私は赤?」と訊ねる亮子の腕を二人が両側から取り、あたりの風景を見回し、それぞれの色を三人が作っているのだと言い合い、「いつまでも仲く暮らしませうね」の亮子の台詞で幕となる。

この戯曲の発表の際、「演出覚書」が添えられたが、まず「この一幕は、いささかの情緒もなく、きわめて乾燥したタッチで演出されなくてはならぬ。さもないと、収拾のつかぬ、いやらしい芝居になつてしまふ」とある。確かにそのとおりであろう。舞台上には半裸体の美青年二人と美女がいるだけなのである。続けて言う、「俊二の妖精的性格を強調すべきである。この少年は実は肉体的世界に住んでゐない」。これに対して亮子は肉体的存在だが、計一とともに、その「精霊」の世界に魅入れられてしまうと記されている。

ただし、作者自身、「精霊」を信じているわけではあるまい。この世界なりわれわれ人間の存在の原理を裸形として捉え、そのものが備え、放つものを捉えるとともに、それぞれの係わり合いようを、可能な限り原型として見届けようとしているのだ。多分、三島は常に作品を構想する時、小説においてもこうした視点を忍ばせている。その創作の秘密を、露わに示したのがこの作品だと見るべきだろう。「精霊」などと言った言葉に騙されてはなるまい。

＊

『船の挨拶』は、文学座アトリエ公演〈モノ・ドラマ特集〉で、三島自身の演出、稲垣昭三出演で、昭和三十年六月十五日から七回上演された。擱筆日は「一九五五、五、二」とあり、幕を上げる約四十日ほど前と分かる。舞台は伊良湖水道に面した小島の崖上、灯台とともに見張小屋があり、その大きな窓を通して、海上保安庁職員で灯台員の二十歳余の若者が三脚に乗せた望遠鏡を覗いている。

伊良子水道は『潮騒』の舞台になった神島が位置する海

域で、その取材に際して親しんだ監視所を基としているのであろう。それとともに今日では「豊饒の海」第四巻『天人五衰』の冒頭も思い出さずにはおれないが、そちらは清水港の入口、駿河湾で、同じく船の出入りを監視する仕事に従事する、まだ十六歳の少年である。

　若い職員は、船体に書かれた船名のローマ字を確認、通過報告をすますと、もう何もすることがない。電話で少々無駄話をし、部屋の中をうろうろ、小屋近くで遊ぶ島の子供たちを叱れば、制帽をかぶって鏡を覗いたり、冊子「万国国際信号表」を開いたりする。そうして世界のさまざまな見知らぬ港からやって来る船々を迎え、電信で挨拶、見送る自分の仕事を、華やかだと思う一方、所在なさに苦しむまま、自分について思案した末、「俺は何なんだ？　俺は一体何なんだ？」と考え始める。

　入って来る船のここまでの長い航海を思いやり、出て行く船のこれから先の航海を思いやれば、世界は大きく広がる。しかし、一旦、通り過ぎると、何事もなかったようないつもの伊勢湾の風景である。どうすればその船々、それぞれの航海に繋がることが出来るか。繋がれば、間違いなく世界は広がる、と思い始め、悪意、敵意であれ、深い関心を示す船が出現してほしいと願い始める。

　と、見たこともない真っ黒な船が出現する。不審に思い望遠鏡で見守ると、水路の真ん中で碇を下して停船、男たちが甲板へと次々出て来て、六人目の男が長い望遠鏡のようなものを持って現われると、こちらへと差し向ける。小銃であった。そうと分かると、若者は白ワイシャツの胸を窓から曝して、「狙へ！　狙へ！」「撃つんだ」と叫ぶ。

　と、笛のような音とともに、若者は崩折れて、言う、「火みたいな、小さな、すばらしい弾丸。……俺の肉のなかに、……やっと届いたんだ」「船の、熱い、火みたいな挨拶が」と言い、真っ黒な鴉みたいな船に向け「ありがとう」と言い、最後の台詞になる、「……海。……世界。……ああ、沖のはうのすばらしい雲」。

　少年期からひたすら待ち望んで来たのが、如何なる事態、如何なるものか、それを端的に表現していると言ってもよかろう。勿論、そのようなことが実現することは絶対にない。絶対にないと分かっていても、望まずにおれない。却ってより切に望まずにおれなくなる。『三原色』では水着の三人の男女が必要であったが、ここでは一人の孤独な若者の切望の激しさがあれば、足りた。そして、作品として成立のため不可欠だとされている具象性を支える事柄を、可能な限り切捨てているのだ。もっとも試作の段階に留まっているが。

＊

　こう見て来ると、既に触れた中村歌右衛門の強い意向と主演によって歌舞伎座の舞台に登った歌舞伎作品を含め、その独自性にも言及して置かなくてはなるまい。『地獄変』（28年11月）に始まり、『鰯売恋曳網《いわしうりこいのひきあみ》』（29年11月）、『熊野《ゆや》』（30年2月）、『芙蓉露大内実記《ふようのつゆおおうちじっき》』（30年11月）、『むすめごのみ帯取池』（33年11月）と続く。

大正・昭和ともなると、新作は時代設定が明治以前であっても、現代語で近代劇的に書かれ、舞台上の役者の台詞と所作ですべては運ばれるようになった。ところが三島の作は伝統的様式、それも丸本時代物狂言そのままで、舞台脇に浄瑠璃語りが控えていて、要所でその語りが入る。浄瑠璃は三味線に乗せて語る芸能で、元禄頃には人形浄瑠璃劇（文楽）が圧倒的人気を博し、その演目が歌舞伎で次々と上演された。というよりも、そうすることによって歌舞伎が演劇として成立したという事情がある。そのため丸本物（文楽に基づく歌舞伎作）は、必ず要所で浄瑠璃による語りが入り、それが定着し、今日に及んでいる。ところが江戸歌舞伎にはそういうところがなく、明治になると、ヨーロッパ近代演劇の影響から、奇妙な二重表現と見做し、演劇としての純粋性を損なうとして排除されることになった。しかし三島は、歌舞伎ならではの強力な表現法として、一貫して用い続けた。その姿勢は、最後の『椿説弓張月《ちんせつゆみはりづき》』まで変わることがなかった。

その点で、三島の歌舞伎は、時代錯誤もはなはだしいと見做すむきが、一時期、批評家の間では有力であったが、歌右衛門が押し切り、歌舞伎座の舞台に乗せ続けた。多分、そこには古典歌舞伎を演じ続けて来た役者と、その舞台に魅了され続けてきた三島の、確乎とした思いがあったのだ。殊に三島には、少年期から親しんだ歌舞伎の観客席での豊かな喜びと、それを基軸とした劇場への強い思い入れがあった。

それとともに、明治以降の作者と俳優と演出家が舞台を作るとする、いわゆる近代的姿勢への反発、不信も強かった。観客席からの視点を重んじ、劇場全体を考え、俳優も表現者である以前に、観客を前にした演技芸者として捉えたのである。後に潤色を担当した『トスカ』の上演に際して、主演の杉村春子に対して、舞台に登場する際、その役になり切ってでなく、まずは役者杉村として登場、それからトスカ役を演じるようにと言ったが、殊に『トスカ』のような大芝居では、そうした配慮が肝要なのだ。歌舞伎となると、なおさらそうで、観客に対して、ここは劇場という実世間とは異質な空間であることを改めて意識し、役者として表現技法を尽さなくてはならない。真実はこうだ、現実はこう、人間性は、などと示すのではなく、観客を誘い込み喜ばせ、劇場内に限定することによって可能になる事態を十二分に繰り出さなくてはならないのだ。

なにしろ歌舞伎には元禄時代以前から積み重ねて来たものがあり、それらを生かさなくてはならない。チョボとも言われる浄瑠璃の語りは、近代の写実理論には余計の最たるものだろうが、役者の演技に加えて、微妙なズレをともなって語りが重ねられる効果は、独特な力を持つ。今や遠い時代に人形浄瑠璃と歌舞伎が出会った、その折に発見された効果の値打をよくよく知って、生かすべく努め続けた成果なのだ。

三島は、われわれの長い歴史が見出し、育てて来た芸術表現の成果を、しっかりと受け継ぎ、働かせ続けることに、強い意志を持ち続けていたのである。

もっともこうした脚本を新しく書くのは、いまでは怖ろしく難しく、三島自身、気がおかしくなりかけたと嘆いており、いまや不可能かもしれない。しかし、それならなおさらその価値を知り、保持すべく工夫して努め続けなければならないだろう。現にその歌舞伎脚本の中、少なくとも『鰯売恋曳網』は、幾人もの役者たちによって工夫が加えられ、演じられ続け、劇場を沸かしているのだ。

＊

以上はいずれも一幕物で、一人の作者とは思えない多彩多様な展開を見せているが、それとともにこの時期、現代劇の多幕物として確かな一歩を踏み出したと言ってよい作も書いた。『白蟻の巣』三幕(文藝、昭和30年9月)である。末尾に擱筆日の記入があり、一九五五、四、二五とある。俳優座スタジオ劇団の青年座からの依頼によって書き出され、二ヶ月のちの六月下旬には本読みが行われ、十月二十九日から公演された。演出は菅原卓、出演は成瀬昌彦、山岡久乃らであった。

この戯曲は、フランス古典劇のラシーヌなどが採った三一致の法に徹底して拠った、緻密な構造の、ある意味では現実から演劇世界を離陸させ構築すべく力を傾けた作、といってよかろう。舞台を南米のブラジルもリンス近郊の珈琲園主邸宅内に限っているのも、そのためであろう。そして第二回岸田演劇賞を受けた。

その農園だが、初の海外旅行の際、昭和二十七年二月、紹介する人があって元東久邇宮の若宮が営んでいた農園に立ち寄り、六日間滞在したが、日本から遠く離れながら、日本人ばかりの小世界を設定するのに、まことに格好であった。この劇を可能にした基礎要件である。

三幕を通して舞台は変わらず、二階に位置する居間兼食堂で、正面奥には露台に出る扉がある。下手に運転手夫妻の部屋、上手に台所と階段、一階玄関と三階の主人夫婦の寝室に通じる階段がある。時は真夏、南半球だから一、二月で、登場するのはいずれも日本人である。

第一幕は、百島運転手夫妻が自室で目覚めるところから始まる。二十歳ぐらいの妻啓子が泣いている。七、八歳上の夫と結婚して半年になるが、夫の首筋にある傷跡を見ながら。これまで触れずに来たが、前夜、風呂場の奥様へパウダーを届けた時、いつもは白粉で隠している同じような傷跡が見え、あなたと奥様の「頸筋の傷あと同士は、いつも目くばせ」しあっている、と思い始めたと言い募るのだ。二人はこの屋敷の納屋で、一年前に心中を図ったのだが、それにも拘わらず主人の刈谷は二人を許し、運転手には妻を娶らせたのだ。

　農園の支配人がやって来れば、当の妙子も朝の散歩から戻って来る。「三十歳位。高貴で美しいが、一見して、生ける屍と謂つた感じ」とト書きにはある。邸宅の裏、白蟻の巣のあるところまで行き、見て来たが、大きく城のようだが、蟻一匹いなかったと話す。この白蟻の巣がやがて象徴的意味を持ち出す展開となる。

　こうして刈谷夫妻と支配人、運転手夫妻の五人が朝食のテーブルに着く。刈谷の意向によって、使用人との差は設けていないので、皆の会話により、農園の状況が明らかになって来る。刈谷夫妻は旧皇族で、戦後の混乱の中、暮らしの目途を失い、この地で広大な農園を経営する日本人寡婦に望まれ、夫婦養子となってやって来て、跡を継ぎ、暮らしているのだ。

　食後、それぞれが少し離れて話すが、啓子は主人の刈谷に、夫と別れたい、いや、二人一緒にここを出て行きたい、と言うとともに、このままだと奥様と夫が、また同じことをやる。今は刈谷の寛大さが再実行を阻んでいるが、ご主人が留守にすれば、現実になる、と言う。これに刈谷は「なかなか面白い。何分、私は、いつも退屈してゐるんでね」と答えて、飛行機でリオあたりへ行こうかと、言い出す。

　一方、妙子は百島に話しかける、あなたの妻啓子は「きれい」で、私はもう死んだ女だ。「ブラジルのこの痛いような夏の日光、あくどい花々……ぎらぎらした雲、こんなものにまともに刃向つてゐるのは啓子さん一人」。そのような彼女が「この家で……死人に囲まれて、一人で生きてゆくのは難しい」と。その話を耳に入れたのか、啓子が独白する、「やってみるわ」「はつきり目をみひらいて生きてゆくわ」。そして、吸わずにいた煙草を吸って刈谷を驚かす。

　刈谷は早々、明日から独り旅に出ることにした旨を百島に告げ、その百島が通りかかりに、灰皿に口紅の付いた吸い殻を見つけ、妙子も妻も吸わないはずだがと呟くと、妙子が聞き咎め、「そんなことがあなたにわかつて?」と言う。

　そのやり取りを自室に戻っていた啓子が漏れ聞くと、扉を激しく開け、框に立つ。その姿を、妙子と百島が驚いて見る。

　要所々々に劇の展開を秘めた場面が据えられていて、簡単に要約できないし、また、演出によって持つ意味が変わりもしよう。

　第二幕は三週間後の土曜日の夜八時頃、サムバ風の合唱が聞こえる。刈谷が家を留守にして、音沙汰がないのだ。リンスから帰って来た支配人が、すぐに報告しないのに苛立った妙子が、夫を「寛大な王様」と呼び、「あの人は私たちを黙つてゆるした。そのときから私たちは、あの人の寛大さの牢獄の、囚はれ人になつたんだわ」と言い出す。「鉄格子も足枷もない牢獄、すべてがゆるされてゐるといふこの牢獄」。そして「あの人がこの家にひろげてゐた空気、にせものの平和、にせものの安息、……あの人の好きなのは贋物だけ」と言い募って、泣く。戦後日本の平和を寓しているとも聞こえよう。

　支配人が、サン・パウロでは刈谷に女が出来たという噂だと告げて去ると、妙子は小さな額画を持って運転手の部屋の扉をノックする。啓子は家政婦と作男たちの踊りを見に出かけ、百島ひとりだった。「罠ね」と妙子は言いながら、額画を贈り、支配人の夫についての報告を伝え、「私たちの呪縛が解かれた」と言う。百島は、なぜ「私たち」と言うのかと咎め、啓子が接吻を求めても応じない。その百島の頬を妙子は搏つ。が、百島は今、あなたの首筋の傷跡を見てしまった。「どちらにも血の色はもうありません」と言う。と、「ああ、血……」と妙子が応じると、狂おしく抱き合い、接吻する。そして妙子が素早く部屋を出ようとすると、啓子と家政婦が踊りながら帰って来た。

　二人は困惑、あれこれ言い合った末、百島が「『私たち』は、……もう死んでゐるんでしたね」と言えば、妙子も同意、「それを忘れたら、世界がめちゃくちゃになつてしまふわ」と応じ、「忘れる前に……」と接吻すると、ドアを開け、啓子を無視して悠々と立ち去る。

　気まずい様子で百島と啓子が向きあっていると、支配人が慌ただしくやって来て、羽切蟻の大群が玉蜀黍の倉庫に現われ、実を一粒づつ背負って行く。一晩で倉庫が空になる、と騒ぎ立て、百島を連れ去る。と、刈谷が旅行鞄を持って現われる。啓子からの電報でこっそり帰って来たのだ。そして、「怖いもの」を見たかと問う。啓子は首を振り、一人でいるのが心細くなって、と答える。それに刈谷が「可愛い人だ」と彼女の胸を撫でる。それを怒るが、刈谷は「きれいだ！　花火のやうな眺めだよ」「この家で人が怒るのをはじめて見た」「あんたは生きてゐるよ」と言う。これに啓子はこう応じる、「私……商売女になりますわ」。そうして刈谷とともにウイスキーを瓶から一緒に飲みながら、百島と妙子が心中を図った納屋へと向う。倉庫から戻って来た百島と支配人がその二人に気づき、支配人が追っていけ、と百島に言うが、彼は露台から見送ると、室内へ戻り、ベッドに身を投げる。

　第三幕はその三日後の夜明け前、百島の部屋で啓子一人が眠り、百島は広間の片隅の台（ディヴァン）で寝ている。そこへ灯のついた燭台を持った妙子が降りて来て、驚き、妻を殺しそうになって、離れて寝ているのだろうと言えば、百島は無気力に笑い、一度許された者として、なにもかも許さなくてはならない、と応じ、女房は「死ねるものならもう一度死んでみろ」と言うが、「鼻を明かしてやつたら愉快だらうな」、われわれは「大した理由もなくつて死ねる」と知っている、と言い募る。それに対して妙子は、「ただの朝の散歩」へ一緒に行こう、と誘うのだ。百島が応じると、行先は「望みヶ淵」だと言って驚かせ、紙片を広げると、「さやうなら、私たちはもう死んでゐる」と書き、二人ともにサイン、燭台を乗せ、抱擁して接吻、さらに互いの首筋の傷跡に接吻すると、戸外へ走り出る。

　やがて自動車の走行音がして遠ざかる。啓子が跳ね起き、後を追う。が、戻って来て燭台下の紙片を読み、愕然として刈谷を呼ぶ。刈谷は、「寛大になるんだよ」「ゆるしてやるんだよ」と繰り返すと、啓子は「あなたがころしたんだ」と叫び、罵り続けるが、ト書きにはこうある、「暁の最初の一閃が、啓子の顔をあかあかと照らす」。すると刈谷が彼女の前に膝まづき、「お前は太陽だよ。ブラジルの太陽だよ」「やつと見たんだ、一生涯見たいと思つてゐたものを」と言う。そうして妙子を許したのは一度でなく、じつは日本でも、ここへ来る途中、ニューヨークでも行きずりの男と心中事件を起こした。そういう妙子の巻き添えに百島はなったんだ、と。その上で、「私は新しい地にすがつて生き返らうとしてゐるんだよ」「われわれは結婚しよう」、「君がここの女主人になる」と告げる。

　そうしていつもの朝のように、支配人がやって来て、日本から届いた新聞を広げ、記事を紹介すれば、刈谷は、サン・パウロで馴染んだ女からの手紙を見て、手切れ金を送るよう指示すると、横から啓子が、支配人が先日話していた日本に戻る金を渡すよう、既に夫人の座に納まったかのように指示するのだ。

　朝食の用意が出来ると、刈谷は「奥さんも帰りがおそいな」といつものように言えば、その空々しさに啓子がまた「あなた！」と声を掛ける。すでに別の日常が占拠しているかのような状態になっているのだ。と、自動車の走行音がして、近づいて来る。「そんな筈がない」と刈谷が言えば、啓子は「死ねなかつたのよ！」「二人がかへつて来たのよ！」「今度こそゆるしてはいけないわ」。刈谷に向い「もうかへつて来なくていい」と言えと求める。が、刈谷は「そんなことはできそうもない。やつぱり元のやうに」と呟く。啓子は自室に駆け込み、ドアを閉め「怖い！」と言い、刈屋は舞台中央で「とてもそんなことが……」と呟き続け、幕となる。

*

　一場面一場面が次々と半ば逆転する形で、連鎖していき、最後にはほぼ元に戻るものの、「墓石をもちあげて、死人たちが生きかへる」かの如きかたちとなるのだ。真っ当に生きることを放擲したこの農園主夫妻と、この農園を生きる場とした若い夫婦の、なんともやりきれない絡み合いが扱われていて、ある意味では、戦後に没落した旧宮家・家族を扱って来た作品の総集編の趣もある。しかし、その域を遥かに超えて、絶望しながら生きる生きざまを、より深く見届けようとしている、と言えばよかろうか。

ここで思い合せるべきは、初の世界一周の旅行記『アポロの杯』のブラジルを訪ねた際のページであろう。これまではギリシアやアメリカ、ヨーロッパの項にわれわれは関心を向けて来たが、南米にこそ留意すべきだったのである。なにしろアメリカからの飛行機の中からリオデジャネイロの灯火を見ただけで「胸のときめき」を覚え、その「中へなら墜落してもいい」気持になったと書いている。なぜそうまで感じたのか。「屹度そこには何ものかがある」「地球の裏側からたえず私を索引してゐた何ものかがある」とも書いていて、その呼びかけをこれまで記すことはなかったが、受け止めてはいたのだ。三島自身、これまでの不健康な生活からの脱出を真剣に考え、太平洋横断の客船に乗ると早々に日光浴を始め、「太陽」を発見していたのだ。

そうしてリオデジャネイロに着いた翌日の日曜、街路を散策、「寂然と真夏の日光が充ちてゐるばかりで、人の姿がない」一角に差し掛かった時、「一度たしかにここを見たことがあるといふ、夢の中の記憶のやうなものに襲はれ」たと書いている。実際に遠い幼年期の「夏の寝苦しい夜」、「人の住まない奇怪な死都のやうな、錯雑した美しい、静寂をきはめたあの都会」を夢に見たが、「今、眠りながらそれを見てゐるのではないかと疑つた」。「このとき痛切な悲哀の念が私を襲つた」とも書いている。続けて、『荘子』の胡蝶の喩、謡曲『邯鄲』の主題を思い浮かべたといい、「輪廻」を持ち出し、「輪廻は刻々のうちに行はれる」とも記す。と、街角からポルトガル人の賑やかな家族連れが現われ、私を「人間の肉体」に立ち戻らせた。もし彼らが現われなかったら「胡蝶」になってしまったろうとまで記している。

続けて、この都市の実際の不思議な美しさに及び、またも幼年時代の夏を蘇らせ、「千一夜譚の黒島の王の物語にあるやうに、魔法の解けた原野に忽然と大都会がよみがへるのを見る」思いがしたとも書いて、その怪しげな繁華街の様子を綴る。いずれも南米の真夏の烈しい日光が呼び起こしたものであろう。

そうした体験をした上で、リンス郊外に元東久邇若宮多羅間氏の農園を訪ねていたのである。深紅のマントを羽織った牧童が馬を駆って牛の群れを誘導したりする風景を過ぎ、邸宅に至って門を入ると、フットボールのグラウンドがあり、ユーカリの並木が続いた。そして庭の叢林の一角に、もう蟻一匹いない古城の趣きのある一メートル近い白蟻の巣を見たのである。その印象が強く、この戯曲の制作へ赴かせたと考えられる。

こうした見聞による高揚感が、リオへ戻り、カーニバルに夢中になって過ごした数日間に繋がったが、この初の海外旅行に出るに前から、密かに眼目の一つとしていたのではないか。なかでも今触れた「輪廻」だが、戦時下も昭和十九年、「文藝文化」最終号に書いた『夜の車』、未発表稿『廃墟の朝』、翌年の『中世』などに、この語を認めることができる（拙稿「『夜の車』考」三島由紀夫研究22号）。もっとも今日、一般に言われるところとは異なった意味を持つかと思われるが、基本的には生命が激しく充溢するまま、死と厳しく向き合う、あるいは死と厳しく向き合うまま、只今の生の充溢を激しく希求する、その特異な状態を言っているのだ。生が死で終わらず、生の充溢へとなれば、特別な生へも繋がる、そうしたところと踏み込み、与かるべく、この戯曲を書いたのかもしれない。

しかし、この劇では幕切れ近く、妙子と百島は、再び心中すべく自動車で向かうものの、やがて戻って来て、輪廻の繰り返しの面を鮮やかに示すのだ。それに対してこの世の生に執着する啓子は恐怖し、刈谷はひたすら惑乱する……。

先に採り上げた『三原色』『船の挨拶』を書いたのも、そうした展望をどこかに抱いていたかもしれない。三島はこの農園で蜂鳥を見たことを書き込んでいるが、花の蜜を吸うため激しく羽ばたいて宙の一点に留まり続ける、その姿に、過去・現在・未来へと流れる時間を不断に越え続け、輪廻して現前していると見たと思われる。

少々、勝手な輪廻観だが、それが芸術の基本的在り方とも捉えていたようである。時間の経過を越えて演じるなり読み継がれるなら、今が現前し続けて、永生することにもなる。

＊

三島の劇作家としての仕事としては、『白蟻の巣』に続いて書いた『鹿鳴館』四幕（文学界、31年12月）が大きい。文学座二十周年記念公演として昭和三十一年十一月二十七日、第一生命ホールで幕を上げたが、松浦竹夫演出、杉村春子、中村伸郎、北村和夫、宮口精二ら出演で好評を呼んだ。この舞台は、これまでのいわゆる「新劇」の枠を大きく破るものであった。明治初期のいわゆる鹿鳴館時代を採り上げ、不平等条約下で苦闘する日本でなく、男と女それぞれの逞しい野心が衝突し渦巻けば、無垢な恋も貫かれ、悲劇を引き起こし、史劇の色彩も併せて持つ。その点で、これまでの「新劇」がもっぱら小劇場向けであったが、大劇場に掛けられてしかるべき戯曲であった。

三島自身、上演に際してこんなことを書いている。鹿鳴館時代は子供のころからの憧れで、中学二年のとき、その貴婦人の絵を絹布に描いたことがあるが、「現実よりはずつと美しい、いま見てもをかしくない舞踏会」でなくてはならない（大阪毎日新聞、12月4日）と。祖母夏子が娘時代、有栖川宮邸にいた折、舞踏会に出たことがあり、その身の回りの品を大事にしていて、見せてくれたこともあつたから、強く憧れを持ち続けていて、開国当初の華やかな側面を、ある点では無責任に思い切り展開して見せようとしたのだ。そのため大時代の美辞麗句も、臆面もなく書き連ねた。北見治一は『回想の文学座』でこう言っている、「西欧古典劇的骨ぐみのうえに、しつかりと構築された女（愛）と男（政治）との葛藤劇」で、「あえて大時代なメロドラマの筋だてをとりつつも、豊熟した絢爛たるセリフ劇」であり、「歌舞伎の手法もとりいれたシアトリカルな現代劇」である、と。

三島自身は、「この芝居はいはば、私のはじめて書いた『俳優芸術のための作品』である」とも注記しているが、その台詞は日常言語と隔たった、劇場で演じられる劇の中で発せられるところの、観客の耳に快く響く、選ばれた言葉であり、俳優それぞれがその力量を傾けて発するよう要求した。それだけに作中の幾つかの台詞が、劇場外でも口にされるようなことが起こったと記憶している。

その舞台稽古に、三島は後藤貞子を伴い、銀座の料亭で彼女が誂えた贅沢な三段の重箱を、彼女の給仕を受けて食べながら、あれこれ注文を出し、杉村春子の怒りを買った（岩下尚史『ヒタメン』七章）とのことだが、元新橋の名妓役を演じるには、料亭などの贅沢の一端に触れておく必要もあるとの思いもあったのではないか。

第一幕は、明治十九年十一月三日午前、天長節の観兵式を秘かに見下ろすのに格好な、権勢並びない影山伯爵の小高い日本庭園に、有力者の奥様方が集まり、望遠鏡で見ている場面から始まる。夕には鹿鳴館で夜会が開かれるのだが、客の中に娘を伴った母親がいて、その娘季子が恋する書生が、今夕、その鹿鳴館で危険な行動に出るのを止めてほしいと、影山夫人朝子は頼まれる。元新橋芸者として、恋の紛争には乗り出さないわけにはいかない。しかし、その相手の書生久雄は、自由党の残党と係わりがあった。それも指導者清原と朝子が愛し合い、生みながら、置いて出て来た当の子だったのだ。その久雄が家を出て、影山伯爵の恩を受けている者の庇護を受け、あろうことか当の影山伯爵の意向を受けて、父を暗殺しようとしているのだった。久雄と会い、母親だと名乗るとともに、いまなお清原を愛していると告げると、久雄は暗殺の企てを告げる。

第二幕、朝子が密かに清原を呼び、二十年ぶりに再会、愛を蘇らせる。それとともに今夜、同志たちと鹿鳴館を襲うのを中止してほしいと依頼する。清原が拒むと、これまで私は夜会に出ることをしなかったが、今夜は私が主宰して、出る。だから私の夜会を潰すようなことは決してしないと約束してほしいと求めるのだ。清原はやむなく受け入れる。その朝子に夫伯爵の手下の者が、今夜、自由党の斬込みがあるとの情報を告げると、わたしの夜会ではそういうことはありませんと、きっぱり否定する。不審に思った影山が、朝子付きの女中草乃を手なずけにかかる。

第三幕、夜会の準備が行われる中、座敷着を華麗な洋装に着替えた朝子が登場、久雄と季子に対して、傍を決して離れないよう命じる。影山は草乃をすっかり手なずけ、事情を聴いて朝子に対して怒りを示す。そして、やって来た朝子に対して「生まれてはじめて感情にかられて行動しようとしてゐる」と言えば、朝子は、改めて自分の洋装姿を披露、互いに腕を組む。しかし影山は、事態が変れば「模造」するのが政治の要諦だと、刺客の男に改めて命令、草乃には時間が来たら清原に、壮士が会場に乱入したと事実に係わらず伝えるよう命じ、朝子と季子の目を盗んで、久雄に拳銃を手渡す。そして、親しい者たちが集まったところで前祝の乾杯をするが、朝子はグラスを取り落とす。

第四幕、いよいよ鹿鳴館の夜会が始まり、伊藤博文総理大臣以下、外国の大使夫妻たちもやって来る。朝子は誰にも負けぬ優美さを発揮して、仕切る。と、自由党の壮士を名乗る者たちが乱入して来る。朝子は驚き、悲しみながら毅然と対応する。久雄は、約束しながら母との約束を破ったと、外へ飛びだすと、壮士たちはあっさり引き上げる。が、乱入の報は早々に清原へ届けられ、駆け付けて来る。と、発砲する者がいた。久雄であった。故意に弾丸を反らしたが、すばやく反応した清原が、相手が誰とも知らず撃ち返し、久雄は死ぬ。この思いもかけない事態に清原は打ちのめされるが、舞踏会は素早く再開され、音楽が奏される。それに紛れていま一発、銃声が聞こえる。影山が命じた通り、清原にとどめを刺すものであった……。

当初は、否定的な批評が少なくなかった。これまで「新劇」として退て来た舞台受けを狙った芝居ではないか、というのであった。しかし、その声もやがて小さくなっていき、引き続いて行われた関西の公演は、大変な好評で迎えられた。筆者自身、まだ学生であったが、大阪の大手前会館で見て、その華麗な台詞に酔わされた。例えば、第二幕の一場面、《清原　……この黒い髪、この逢はないでゐた二十年の間といふもの、夜の闇が夜毎に染めて、ますます黒くますます長く、ますますつややかになつたこの髪……。朝子　この髪の夜は長くて、夜明けはいつ来るしも知れません。》間違いなく大時代の台詞だが、その魅力を存分に発揮していた。歌舞伎から受けたものをそれなりに消化したと言ってもよかろう。第三幕、金槌などを持った大工らが出て来ると、舞台下手袖近くの観客がざわざわしたが、そのなかに三島がいたのだ。私の席からは何があったのか、わからなかったが、自作の舞台に顔を出す始まりであった。

＊

『金閣寺』を書き上げて、早々に短篇『施餓鬼舟』を書いたことは既に触れた。続けて短篇『橋づくし』(文藝春秋、31年12月)、『女方』(世界、32年1月)を書いた。両作ともその制作には、後藤貞子が深く係っていた。前者は、大阪ミナミの芸者の間で行われている願掛けを聞き知って三島に話したところ、東京に移して書こうとなり、二人で新富町の三吉橋から実地を歩き、そのままを書いたという。後者は、歌右衛門が映画俳優の佐田啓二を気に入り、よく話題にしていたことから、噂されるようになっていると話したのが、基になったという。二作とも三島としては珍しい題材だが、短篇としてよく巧まれた、秀作である。

いま、このことに触れるのは、これらの短篇を書き継ぎ、『鹿鳴館』の公演が行われた直後、二人の関係に終りが来たからである。後藤貞子は、この頃になると表立ったところへ三島によって引き出されるようなことがしばしば起こり、実際に頭痛を覚え、約束をすっぽぬかすようになったと言う。『鹿鳴館』の舞台稽古に引っ張り出されたのもその一つであろう。杉村春子を初め女優たちの厳しい眼に曝されると、腰が引けるのも当然であった。

三島としては、このまま密かに続けるのは無理との思いがして、『施餓鬼船』で老作家に託してこれ迄の喜びを語るとともに、作家活動に従事する日常での係り方を探る思いがあったのであろう。後藤貞子にしても、学校を卒業、三島と出会って三年目、それなりに結婚を考えなければならなくなっていた。ただし、三島は既に売っ子作家、収入も多かったが、有名料亭の娘として自由に使える小遣いには全く及ばないと、承知するに至ってもいた。『ヒタメン』の最後の章は湯浅あつ子の聞き書きで、貞子と逢う日は必ず七万円を借りるため立ち寄ったと言う。昭和三十年頃の大卒者の初任給は約一万一千円であったから大金であった。

こうしたことも含めて、新たな出発を考えなければならなくなっていたのだ。

注　武智鉄二という人の仕事は、こうした言い方に馴染まないが、ここでは敢えて大雑把にこう記しておく。

資料

三島由紀夫著「肉体の学校」について

犬塚　潔

はじめに

「肉体の学校」は三島由紀夫の長編小説である。この作品は、三島のエンターテイメント作品と考えられている。この作品には秘密があって、その解明には自筆原稿を確認することが不可欠となる。この作品について検証する。

第1章　初出雑誌

「肉体の学校」は、1963年（昭和38）1月から12月まで、「マドモアゼル」（小学館刊）（写真1a、b）に連載された。

1月号の表紙に「新連載小説　肉体の学校　三島由紀夫」とある。各号の「肉体の学校」の掲載ページ数は12ページで、挿画は高沢圭一が担当した。（写真1c）4ページ目の左上方に「このごろ」（写真1d）というタイトルで三島の近影と「近況」が掲載されている。

「このごろ」（写真1e〜h）の内容には決定版三島由紀夫全集の「年譜」に未収録の新事実が複数認められる。原稿の〆切は掲載月の2ケ月前なので、「このごろ」は2ケ月前の近況報告である。

6月号では「4月12日、ご夫妻そろってサンローランのファッション・ショーへお出かけ、フランス・モードを堪能された」とある。

10月号では「毎年夏は東京でガンバられる主義だったが、今年は家の工事のため、やむなく箱根小涌谷に数日間滞在された。が、生活のテンポが狂い、睡眠不足に」とある。この二つの事柄は決定版三島由紀夫全集の年譜に記載されていない。

「このごろ」には三島の現住所も掲載されている。これを見て三島にファンレターを送った読者もいたかもしれない。現代では個人情報保護法により、作家の現住所が雑誌に掲載されることはない。

第2章　初版本

1964年2月15日に集英社より単行本（写真2a）が刊行された。また、文庫本は1979年（昭和54・集英社）と1992年（平成4・ちくま書房）に刊行された。

2月号

3月号

1月号

6月号

5月号

4月号

写真1ａ　1963年のマドモアゼル

11月号

7月号

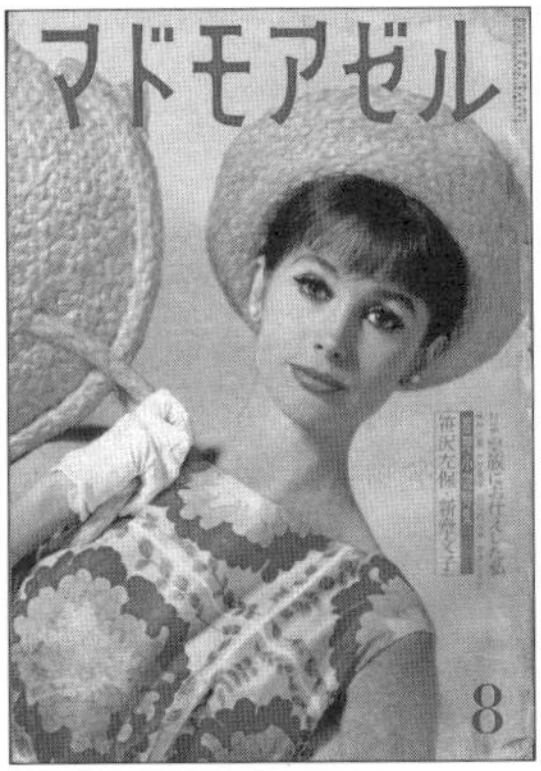

8月号

12月号

10月号

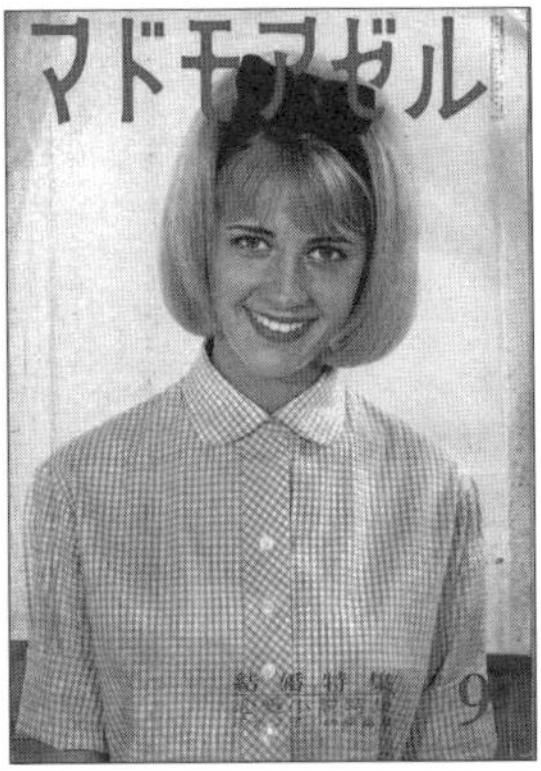

9月号

写真1ｂ　1963年のマドモアゼル

写真1ｃ　肉体の学校　マドモアゼル1月号 1963

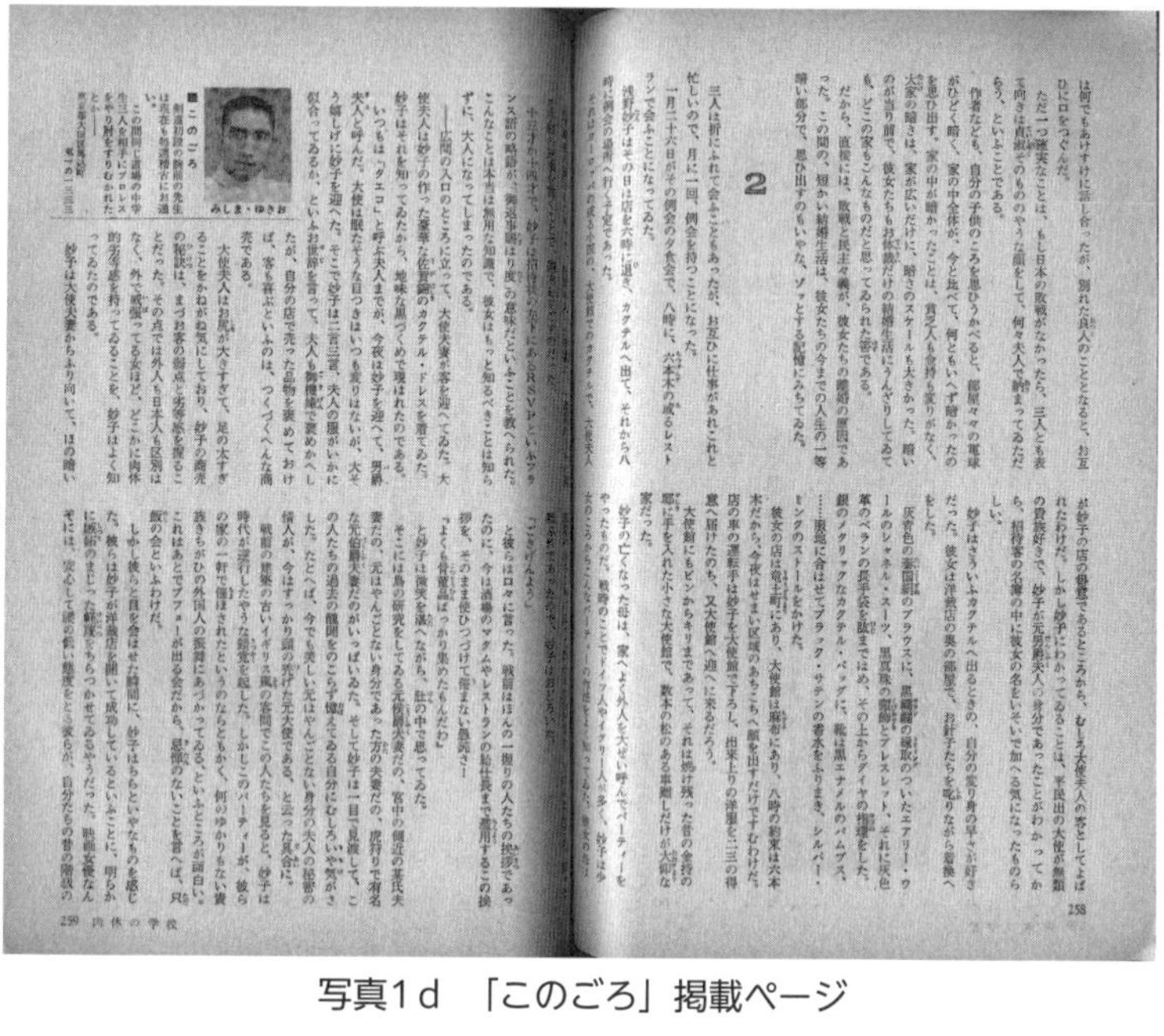

写真1ｄ　「このごろ」掲載ページ

■このごろ
剣道初段の腕前の先生は現在も毎週稽古にお通い。
この間同じ道場の中学生三人を相手にプロレスをやり肘をすりむかれたとか――
東京都大田区馬込町
東一の一三三三
みしま・ゆきお

このごろ　マドモアゼル1月号 1963

■このごろ
夜中から明け方まで執筆されるので、起床は午後二時。このため、世間の昼食が朝食。メニューは、トーストにハム・エッグス、果物に栄養剤。
東京都大田区馬込町
東一の一三三三
みしま・ゆきお

このごろ　マドモアゼル2月号 1963

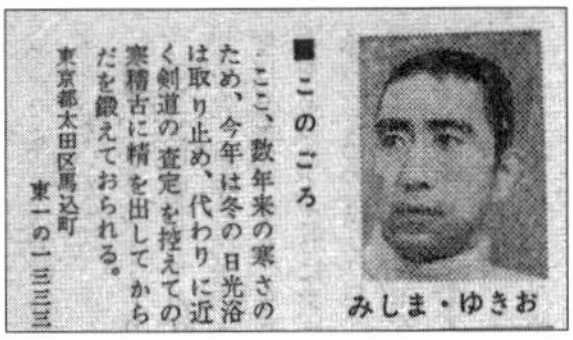
■このごろ
ここ数年来の寒さのため、今年は冬の日光浴は取り止め、代わりに近く剣道の査定を控えての寒稽古に精を出してからだを鍛えておられる。
東京都大田区馬込町
東一の一三三三
みしま・ゆきお

このごろ　マドモアゼル3月号 1963

写真1 e　このごろ マドモアゼル 1~3月号

■このごろ
文学座六月上演予定の戯曲『トスカ』を仏文学者と協力して目下、鋭意翻訳ちゅう。分裂騒ぎのあとだけにひとしお力を注いでおられる。
東京都大田区馬込町
東一の一三三三
みしま・ゆきお

このごろ マドモアゼル4月号 1963

■このごろ
取材に出かけられた横浜港で、沖仲士に「映画には出ないのかい」と言われ小説家より映画スターとして知られていることに苦笑。
東京都大田区馬込町
東一ノ一三三三
みしま・ゆきお

このごろ マドモアゼル5月号 1963

■このごろ
四月十二日、ご夫妻そろってサンローランのファッション・ショーへお出かけ、フランス・モードを堪能された。
東京都大田区馬込町
東一ノ一三三三
みしま・ゆきお

このごろ マドモアゼル6月号 1963

写真1 f　このごろ マドモアゼル 4~6月号

■このごろ
書き下ろしの小説を終えて、ほっと一息つく暇もなくトスカの稽古に忙しく自宅で舞台装置の打ち合わせ会を開かれた。
東京都大田区馬込町
東一ノ一三三三
みしま・ゆきお

このごろ マドモアゼル7月号 1963

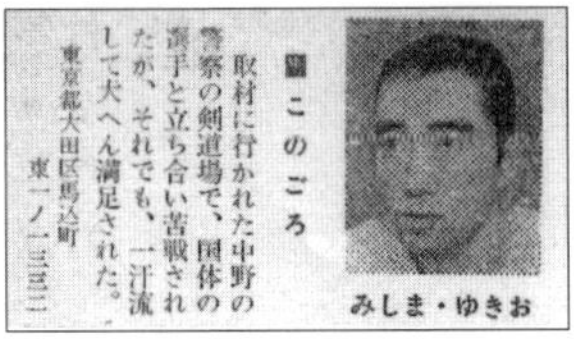
■このごろ
取材に行かれた中野の警察の剣道場で、国体の選手と立ち合い苦戦されたが、それでも、一汗流して大へん満足された。
東京都大田区馬込町
東一ノ一三三三
みしま・ゆきお

このごろ　マドモアゼル8月号 1963

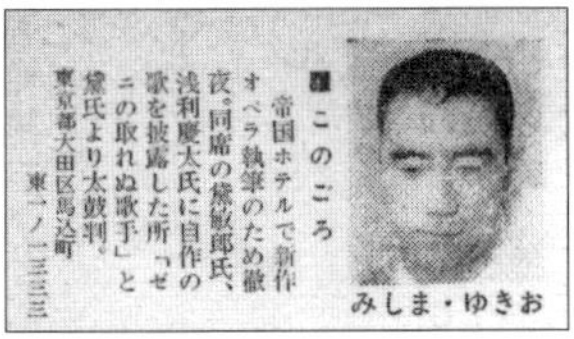
■このごろ
帝国ホテルで新作オペラ執筆のため徹夜。同席の黛敏郎氏、浅利慶太氏に自作の歌を披露した所「ゼニの取れぬ歌手」と黛氏より太鼓判。
東京都大田区馬込町
東一ノ一三三三
みしま・ゆきお

このごろ　マドモアゼル9月号 1963

写真1 g　このごろ マドモアゼル 7~9月号

■このごろ
毎年夏は東京でガンバられる主義だったが、今年は家の工事のため、やむなく箱根小涌谷に数日間滞在された。が、生活のテンポが狂い、睡眠不足に。
東京都大田区馬込東
一ノ一三三三
みしま・ゆきお

このごろ マドモアゼル10月号 1963

■このごろ
観戦記執筆のためフライ級ボクシング世界選手権試合をご覧になり、「二分七秒で終わった試合だから二行半で」と交渉されたがダメ。しばし、苦吟された。
東京都大田区馬込東
一ノ一三三三
みしま・ゆきお

このごろ マドモアゼル11月号 1963

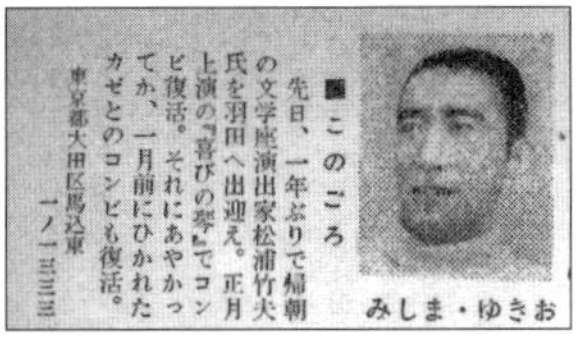
■このごろ
先日、一年ぶりで帰朝の文学座演出家松浦竹夫氏を羽田へ出迎え。正月上演の『喜びの琴』でコンビ復活。それにあやかってか、一月前にひかれたカゼとのコンビも復活。
東京都大田区馬込東
一ノ一三三三
みしま・ゆきお

このごろ マドモアゼル12月号 1963

写真1 h　このごろ マドモアゼル10~12月号

三島は、自著が刊行されると献呈署名を入れて、恩師の清水文雄に進呈するのが常であった。しかし、進呈されるのは純文学の分野であり、エンターテイメント系の作品が進呈されることはなかった。

清水は左記のように述べている。

「彼は自作を必ず署名入りで送ってくれていました。ところが面白いのは、『不道徳教育講座』とか、『三島由紀夫レター教室』といったものは送ってこない。(笑)てれ屋だったんですね。力を入れて書いたものは、必ず送ってくれました。『花ざかりの森』以来ずうっとです[1]」

比治山女子短期大学図書館に、１９８９年(平成元)頃に清水の旧蔵書が寄贈され、「清水文雄先生旧蔵三島由紀夫文庫」と名付けられた。「清水文雄先生旧蔵三島由紀夫文庫目録」(写真2b)の「序」に左記の説明がある。

「文庫の本は殆ど原装のままで保存されていて、カバー、帯、箱、などがついた貴重なものです。目録を作成するにあたっては、できるだけ詳細に現状を記載して、文庫の特色を伝えると同時に、研究される方々の弁を図りました」

目録では、三島由紀夫の献呈署名の有無、署名の種類(ペン署名・毛筆署名)、署名の状態(直に署名したもの、署名箋を貼付したもの、名刺に宛名を書いたもの)が確認できる。

目録の69頁に「三島由紀夫著作一覧」がある。三島が献呈署名を入れて清水に贈ることができたのは、「花ざかりの森」から「作家論」までである。「単行本(書名変更再出版本、対談書を含む)」では、「花ざかりの森」(ＭＡ１)から「作家論」(ＭＡ１０８)まで１０８冊があげられているので、この１０８冊について確認すると、清水の旧蔵書として文庫に納められたものは59冊である。この中で、献呈署名本が39冊、署名の入っていない蔵書が20冊であった。

「力を入れて書いたものは、必ず送ってくれました。『花ざかりの森』以来ずうっとです」という清水の言に従えば、献呈署名本が残されているものは純文学系で、献呈署名本が確認できないものの中にエンターテイメント系の作品があると考えられる。

ところが、清水の蔵書の「著作目録」を見ると、「花ざかりの森」「岬にての物語」「盗賊」「夜の仕度」までの最初の4冊は献呈署名本が確認できるが、三島が24歳から29歳の間に刊行された「宝石売買」「魔群の通過」「燈台」「怪物」「純白の夜」「青の時代」「仮面の告白　その他」「聖女」「狩と獲物」「遠乗会」「頭文字」「三島由紀夫短篇集」「夏子の冒険」「アポロの杯」「真夏の死」「にっぽん製」「夜の向日葵」の初期の著作は、献呈署名本がないばかりでなく蔵書すらない。20代の三島は清水に著書をあまり贈呈しなかったのであろうか、と考えるとそんなことでもない。

１９５０年(昭和25)4月16日の書簡に「五、六月には一、二冊著書が出る予定にて、そのときは御送り申上げ、御批

写真2ａ 肉体の学校 初版本 1964

写真2ｂ 三島由紀夫文庫目録

写真2ｃ 神谷武和宛

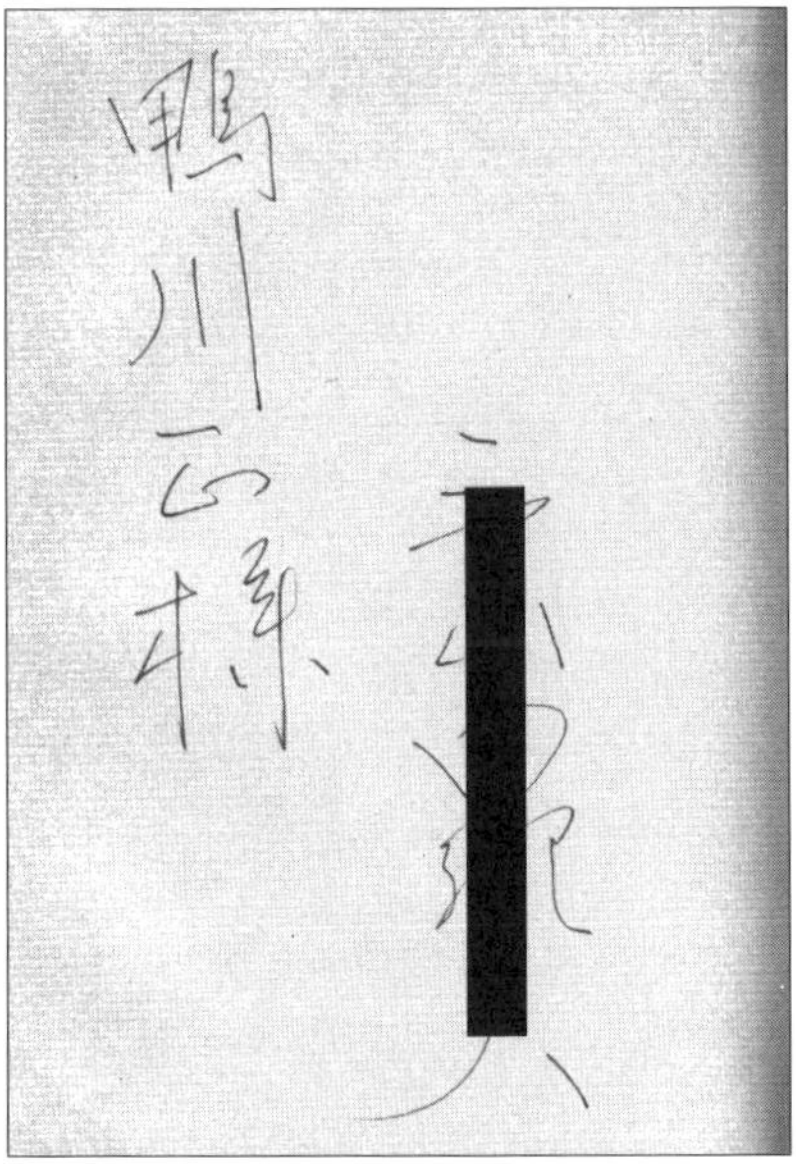

写真2ｄ 鴨川正宛

三島由紀夫著作権事務所の指導により、署名偽造防止のため
三島由紀夫の書名の一部を黒塗りにしております

評いただきたく存じます[2]」とある。この時に刊行された書籍は、5月に「燈台」（作品社）、6月に「怪物」（改造社）、「仮面の告白」（新潮文庫）、「愛の渇き」（新潮社）であった。さらに昭和25年8月8日の書簡に「先日は御懇切な御批評をありがとうございます[2]」とある。三島が１９５０年に何らかの自著を送ったことが確認できる。

「花ざかりの森」から「作家論」までの１０８冊中で、献呈署名本が39冊では、決して多くない印象であり、むしろ少なすぎる印象でもある。

また、初期の代表作「仮面の告白」（１９４９年）は、蔵書は確認できるが3版であり献呈署名はない。また三島の代表作「金閣寺」（１９５６年）は、15版でありこれも献呈署名はない。清水が三島に贈られた本を全て保存したか、または全ての旧蔵書をこの文庫に寄贈したかについては確証がない。清水文雄宛献呈署名本のかなりの書籍が、この文庫に入らず、何処かに眠っているのであろうか。清水が三島から贈られた本を紛失した可能性も否定できないが、「肉体の学校」は清水の蔵書にない。「肉体の学校」は「力を入れて書いたもの」には入らず送られていないのかもしれない。

また一方、献呈署名本が確認できるためエンターテイメント系作品ではなく、純文学系と考えるべき「獣の戯れ」「美しい星」がある。

「獣の戯れ」は、書き下ろし小説として書いた作品を「週刊新潮」に分載したものである[3]。三島は「『仮面の告白』『愛の渇き』『潮騒』『鏡子の家』についで、私の書き下ろし小説の五番目の作品である」と説明している[4]。

「美しい星」は「SF娯楽小説[5]」と考える向きもある。娯楽雑誌に発表されたらエンターテイメント、純文学系雑誌なら純文学という分類は、三島作品に関しては優れた分類とはいえないようだ。

どんな作品も読者は読むことの喜びを得るのであり、一部の学者や読むことを仕事にしている方以外には、読書は娯楽である。三島は「メジャーな仕事」と「マイナーな仕事[6]」と分類しており、「力を入れて書いたもの」とそうでないものがあるだけのようである。

「肉体の学校」の献呈署名本は稀である。以下に二冊を提示する。一冊は「神谷武和宛」（写真２ｃ）である。神谷武和は三島ファンなら周知の名前であろう。神谷は三島の依頼により映画「憂国」のスチール写真の撮影を行った。三島は映画版「憂国」の「製作意図及び経過」に「私は、スチールマンとして、昔からよく知っている写真家の神谷武和氏と助手の松永清寿君を連れてきた[7]」と記している。

もう一冊は「鴨川正宛」（写真２ｄ）である。鴨川は三島の人生にとってとても重要な人物である。鴨川については、また別の機会に独立した論を構成したい。

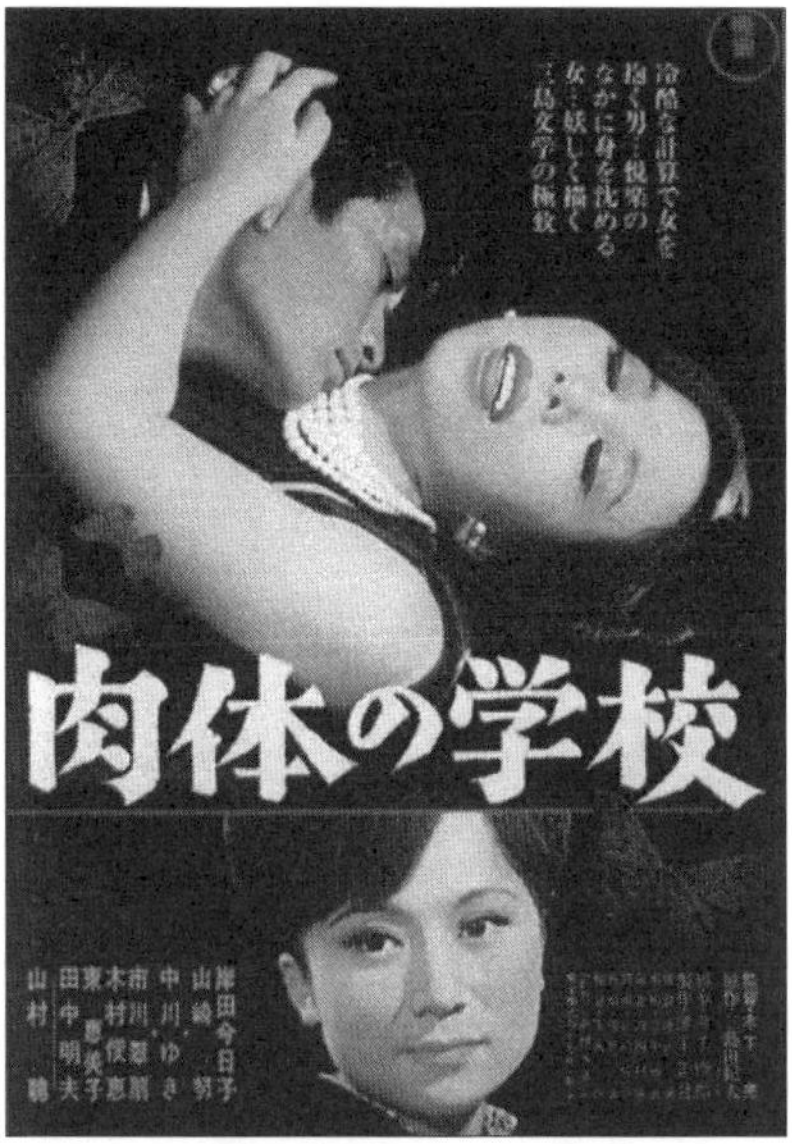

写真3a ポスター1965

写真3b ポスター

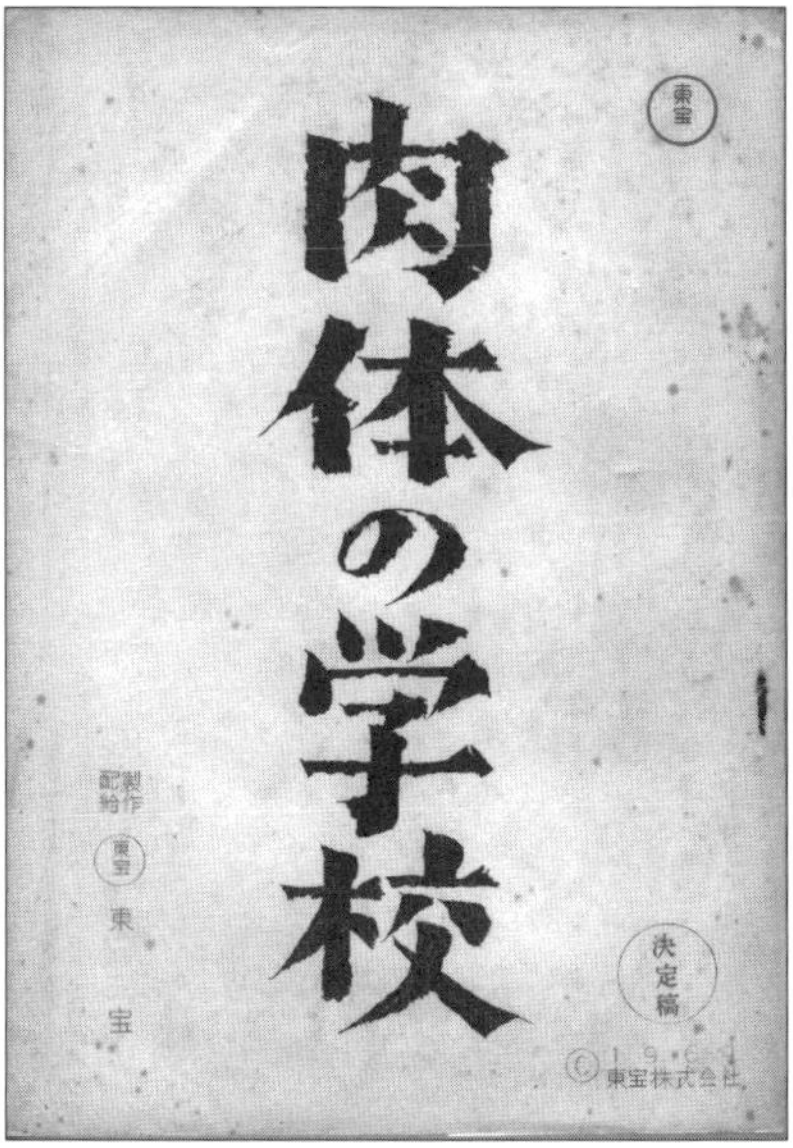

写真3c 台本

写真3d スチール

写真3 e

写真3 f

写真3 g

写真3 h

写真3 i

写真3 j

写真3 k

写真3 l

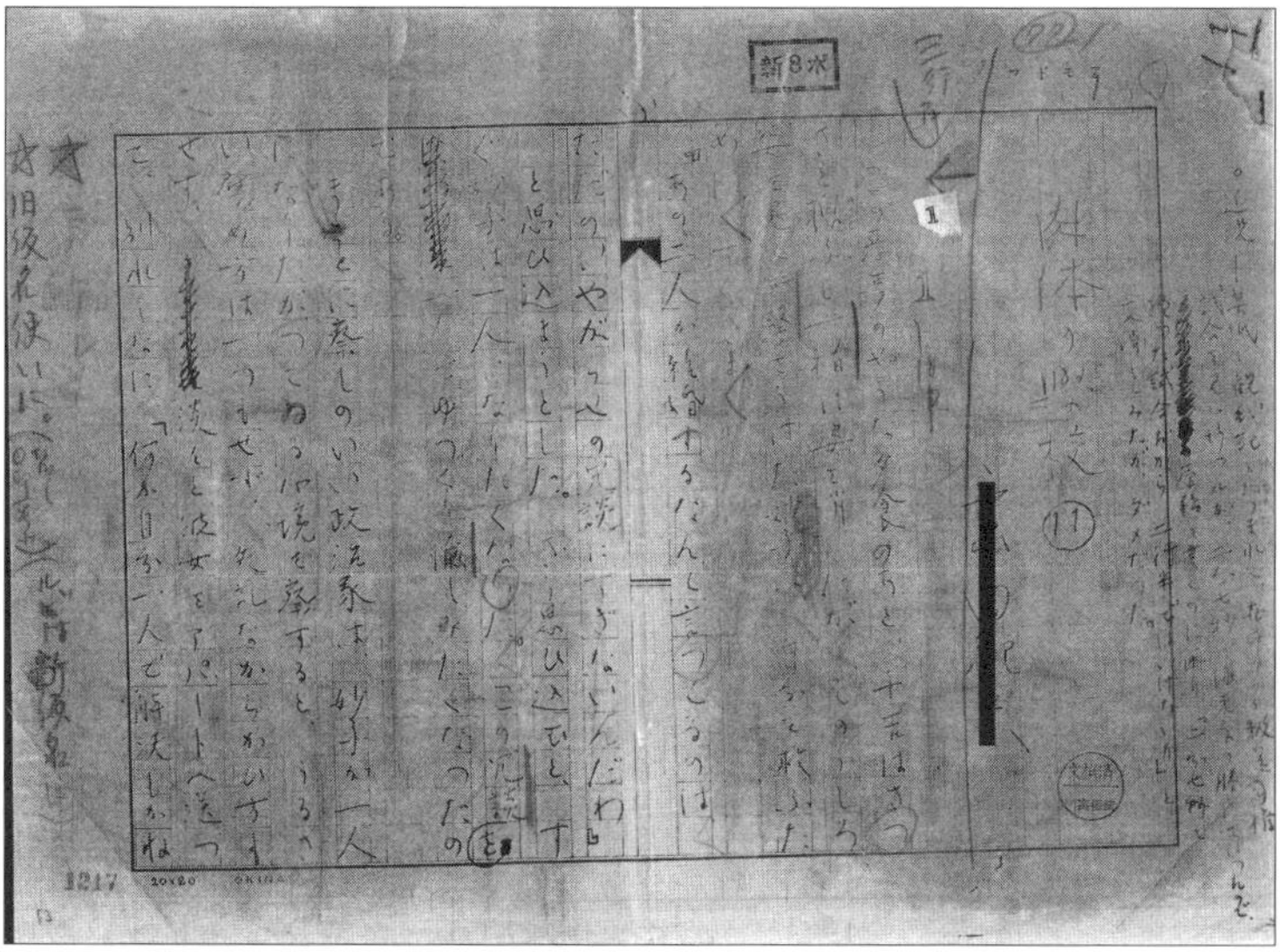

写真4ａ 原稿 コピー　肉体の学校　マドモアゼル11月号 1963

第３章　映画

「肉体の学校」は、１９６５年（昭和40）に東宝にて映画化され、２月14日に封切られた。

また、フランスでも１９９８年（平成10）に映画化（主演・イザベル・ユペール）された。

東宝映画は、モノクロで上映時間は1時間35分であった。スタッフは、監督（木下亮）、脚本（井手俊郎）、撮影（逢沢譲）、音楽（池野成）、美術（竹中和雄）、照明（山口偉治）、制作（金子正旦）である。

キャストは、岸田今日子、山崎務、中川ゆき、市川翠扇、有馬昌彦、木村俊恵、東美恵子、田中明夫、神山繁、山村聡、他である。ポスター、台本、映画スチールを提示する。（写真３ａ～ｌ）

第４章　自筆原稿

「肉体の学校」の原稿の内、11月号分の校正用青焼コピー（写真４ａ）を入手した。４００字詰原稿用紙31枚分である。

表題の「肉体の学校⑪」の右側の余白（写真４ｂ）に、三島の自筆で書かれた「近況」がある。

「○近況　—　某紙に観戦記をたのまれて、世界フライ級選手権試合を見に行ったが、二分七秒で海老原が勝におわったので、原稿を書くのに困

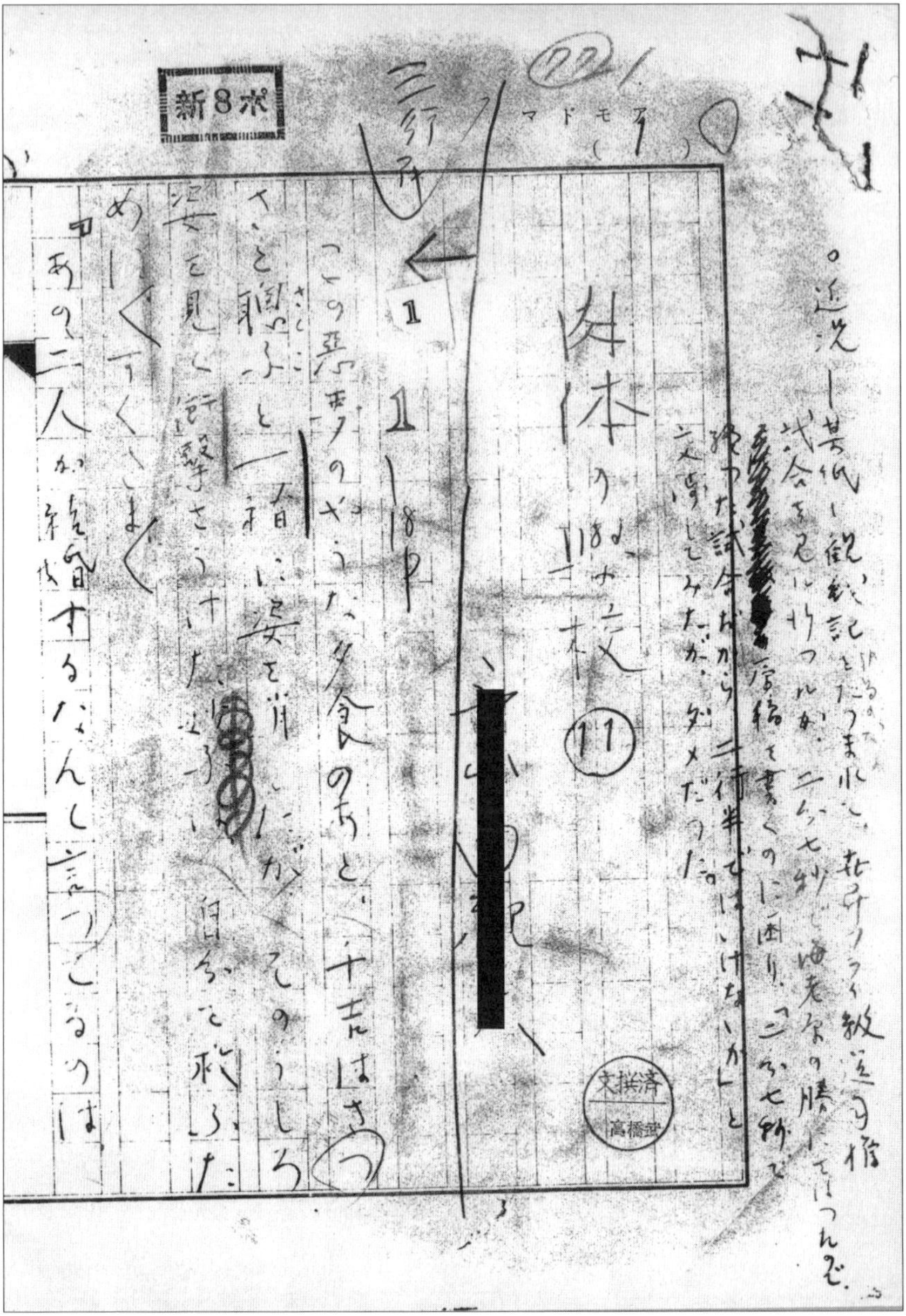

写真4b 原稿 コピー　肉体の学校　マドモアゼル11月号 1963

三島由紀夫著作権事務所の指導により、署名偽造防止のため
三島由紀夫の書名の一部を黒塗りにしております

写真4ｃ 海老原博幸と直筆サイン 1963

三越百貨店日本橋本店の催し物会場で世界フライ級ボクシングチャンピオン
海老原博幸のサイン会が開催された。

り『二分七秒で終った試合だから、二行半ではいけないか』と交渉してみたが、ダメだった。」

この「近況」を基にして編集者が書いたマドマゼル11号の「このごろ」を左記に示す。

「観戦記執筆のためフライ級ボクシング世界選手権試合をご覧になり、『二分七秒で終った試合だから二行半で』と交渉したがダメ。しばし、苦吟された。」

1963年（昭和38）9月19日、報知新聞に「未知への挑戦（海老原・ポーン戦観戦記）」の表題で三島の観戦記が掲載された。

「この試合はまるで事件のような起こり方をした。2分7秒では、ドラマの展開する余地はまるでない。発端もなければヤマ場もない。

しかしそれは、実はそう見えるだけで、この2分7秒を、127秒の秒単位に細分すれば、そこには、人間の精神と肉体が最高度に緊張して、輝かしい一方的勝利に終わるまでの一瞬一瞬の判断と力と野望と夢との波乱に富んだドラマがあった。さらに、なんどか延期されたこのタイトル・マッチにいたる、長い心理の格闘があった。そこへ『チャンス』が、千載一遇の『チャンス』が到来したのである。……そう考えると、2分7秒でついたこの勝負も、人間の世界で起こる徐々たる必然性のドラマと同じ経過をたどったといえる。

（略）

最初のダウンの左ストレートを食ったポーンの一瞬、とまどったような、あっけにとられたような表情のむなしさは忘れられない。その後は、総立ちになった観衆の熱狂を全身に負ってカウント切れとともにころがり込む海老原に追いまくられ、左ストレートのKOパンチへ追いつめられるだけだった。

若さとか、体力とか、技術とか、そういうもの以前に、あるふしぎな見えない力の勝負をはらんだものがボクシングだということを、きょうの試合ほど如実に見せたものはない。それはまさにボクシングだった！　完全無欠のボクシングだった！　観客は完全にKOされ、一瞬呆然として、それから熱狂した。

再び日本は、その本来のフィールドのフライ級で、世界チャンピオンを得た。海老原はいま、若さと栄光の目まいの中にいるだろう。自分をこの、神を背後に背負ったようなおそるべき勝利の記憶へなんども呼び戻そうとするだろう。しかし、もう彼は、この瞬間を忘れなければならぬ。記憶にとらわれ、それを再現しようとしたら、もうおしまいだ。彼の前にあるのは、未知だけであり、つねに新しい未知への挑戦だけなのである」[8]。

「近況」で三島は二分七秒で終ったことだけでなく、海老原が勝ったことも伝えている。海老原はこの試合で世界チャンピオンになったのである。三島にとって「海老原」と「勝」は大切なキーワードであったはずである。

ところが、11月号の「このごろ」では、この二つのキーワードが編集者により割愛されてしまった。この割愛は三島と編集者のボクシングに対する関心度の違いによるものであろう。編集者は海老原の名前さえ知らなかったではあるまいか。

三島の「近況」は、全集未収録であり三島由紀夫作品として決定版三島由紀夫全集に収録されるべきものであった。「肉体の学校」の直筆原稿は三島由紀夫文学館に所蔵されていない。１９６３年1月～12月までの12ケ月分の原稿の全てが所在不明である。「肉体の学校」の自筆原稿が確認できれば、全集未収録作品である「近況」がさらに11点も確認されることになる。

発表から60年が経過しており、震災を初め様々な災害もあり、原稿が失われている可能性も否定できない。それでも「肉体の学校」の生原稿を見てみたいと思うのは私だけではないだろう。三島の原稿を探すと言ってもどこを探してよいのか見当もつかない。生原稿を発見するのも、コピーを見つけるのも同様に困難なことであることに変わりはない。

しかし、資料を探すにはそれに関する情報が、細い糸のような微妙な縁となって揺らめいているようにも思うのである。細心の注意を払ってその情報をキャッチできるか否かが問題となる。このことはいずれ文学史を一新するような未発表資料の発見につながるかもしれない。

（三島由紀夫研究家）

注1　清水文雄：平岡公威の花ざかりの時代、諸君、文藝春秋、１９７１
2　三島由紀夫：清水文雄宛書簡、決定版三島由紀夫全集38巻、新潮社、２００４
3　三島由紀夫：作者の言葉「獣の戯れ」、決定版三島由紀夫全集31巻、新潮社、２００３
4　三島由紀夫：わが小説「獣の戯れ」、決定版三島由紀夫全集31巻、新潮社、２００３
5　井上隆史：天皇と分人　平野啓一郎「三島由紀夫論」を読む、月刊「新潮」、新潮社、２０２３
6　三島由紀夫：「われら」からの遁走、三島由紀夫文学論集、講談社、１９７０
7　三島由紀夫：製作意図及び経過、映画版「憂国」、新潮社、１９６１
8　三島由紀夫：未知への挑戦（海老原・ポーン戦観戦記）、私の遍歴時代、講談社、１９６４

資料

昭和十九年学習院式事録について

三輪太郎

学習院大学の目白キャンパスを正門から入ると、欅や銀杏の美しい木立ちを透かして二棟の木造洋館が見える。左の一棟、飴色に塗装された下見板張り二階建ては旧皇族寮で、馬車を停めるために庇の深いポーチがつく。右の一棟、水色に塗装された下見板張り平屋は旧図書館で、切妻屋根にピナクルと呼ばれる尖塔飾りが載り、簡素ななかに明治のハイカラを漂わせる。戦前の古写真を見ると、図書館は本館正堂と相対峙して建ち、シンメトリカルで典雅なハレの空間をつくりなしていたことがうかがえる。

残念ながら本館は昭和二十年四月十三日の空襲で全焼し、かつての威容を偲ぶことはできないが、図書館は一部取り壊しを余儀なくされたものの、位置をずらして補修保存された。現在、旧皇族寮は学習院アーカイブズとして、旧図書館は学習院大学史料館として、第二第三の余生をおくる。史料館は大学、アーカイブズは法人、所属は異なるが、いずれも学習院の歴史の保存検証にあたることに変わりない。

三島由紀夫の学習院時代について、私には長年の疑問があった。昭和十九年九月、高等科を繰上げ卒業した際、三島は首席でありながら答辞を読んだ形跡がない、それはなぜなのか、という疑問である。卒業式では首席が総代をつとめ、答辞を読むのが学校の通例だ、と私は思いこんでいたからである。何しらかよんどころない事情が生じて、三島が答辞役からはずされたのではないか、という憶測も湧いた。あるいは、平民という族籍ゆえに答辞役から除外されたのではないか、という邪推も走った。が、近年、学習

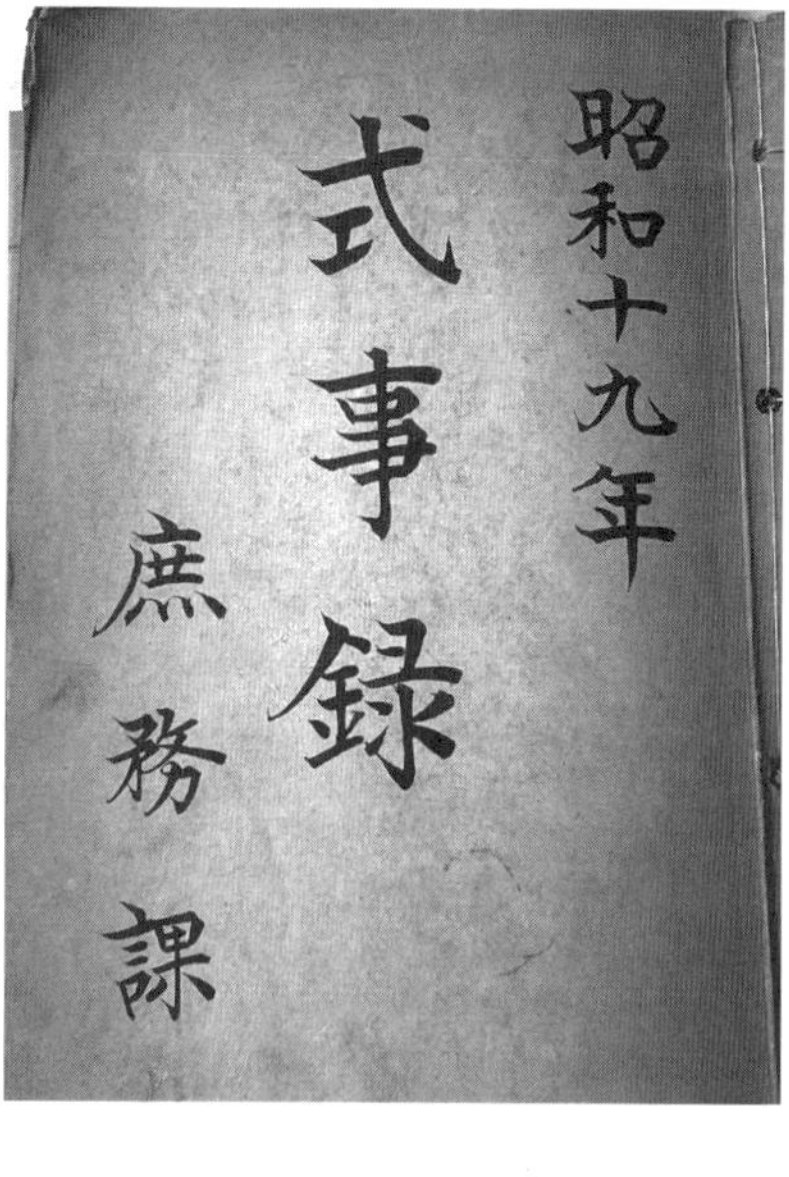

院大学史料館学芸員の冨田ゆり氏、学習院アーカイブズ主事の桑尾光太郎氏と知りあうことがかない、三島在院中の昭和六年から昭和十九年の「式事録」（学習院アーカイスズ所蔵）を閲覧する機会に恵まれて、長年の疑問が氷解した。以下はそのささやかな報告である。

「式事録」は新年奉賀式、紀元節奉賀式、卒業証書授与式、入学式・始業式、天長節奉賀式、明治節奉賀式などの式典関連の書類をまとめたもので、宮内省図書寮によって装幀され、宮内省に保存されたが、戦後、学習院にもどされた。昭和十六年までの「式事録」は、柿渋を塗りこんだA四判の美麗な表紙が付され、綴じ目も堅固であるが、昭和十七年から簡易な厚紙装幀に変わり、表紙の折り目に断裂が生じて、扱いに慎重を要する。いずれデジタル保存される予定だと聞くが、まだしばらく時間がかかりそうだ。

学習院でもっとも重要な式典は、どの学校でもそうであるように、卒業証書授与式である。式が近づくと院長は宮内省に皇族差遣依頼の文書を送り、これに応答するかたちで皇族が差し遣わされる。そして、三年ないし四年おきに天皇の行幸がある。三島在院中にかぎれば、昭和九年三月三十日、昭和十二年三月三十日、昭和十六年三月二十六日の三度、行幸があったことが「式事録」において確認できる。これは「昭和天皇実録」の記述と符合している。

戦前の学習院の卒業式は初・中・高等科一括で、目白の本館正堂でとりおこなわれた。昭和十二年三月三十日、三島が初等科卒業をむかえた式の進行表を覗くと、午前九時二十五分、本館前と図書館前に教職員院生一堂整列して、天皇の車列を奉迎。天皇は便殿で在学中の皇族学生と対面し、院長から職員名簿や成績表などの奉呈を受ける。午前九時五十分、正堂で開式。卒業証書授与（証書は文科理科各科総代のみが受け取る）、優等卒業学生への賞品下賜（銀時計とは書かれていない）、院長告辞、宮内大臣告辞、初・中・高等科それぞれの総代謝辞とつづいたあと、陳列室で天皇は学生の成績品の説明を受ける。さらに正堂から運動場へ玉座を移して、馬術・休操・分列行進などの演武が披露される。午前十一時半、還幸。

「式事録」には卒業式の分刻みの進行表、式場での座席配置図、膨大な招待者名簿、招待状原稿、準備委員会名簿、報道機関からの取材願、陸軍戸山学校軍楽隊への派遣依頼状および返信などが、複写でなく原本のまま綴じ込まれている。

三島が中等科卒業をむかえた昭和十六年三月二十六日の式にも行幸があった。天皇は便殿で初等科一年修了の明仁親王（現上皇）と対面し、山梨勝之進院長から奏上を受ける。その「奏上書」には、「本院学生ノ性質ハ上品ニシテ、鷹揚ナ美点ヲ有ツテ居リマスガ、一方気力、根気ニ於テ欠ケル所ガアリマスノデ」という箇所があって、微苦笑を誘う。

式場では正面中央の玉座から手前に賜品台、宮内大臣席、院長席とつづき、皇族学生席が一般学生席とは別に玉座に近い側に用意されている。この年、中等科総代として謝辞を述べたのは、三島と同級の前田宰三郎、前田利功《としこと》男爵の五男であった。

三島が初等科卒業をむかえた昭和十二年三月の式で初等科総代として謝辞を述べたのは、後にジャズ評論家として名をなした瀬川昌久である。翌昭和十三年三月の卒業式では、瀬川昌久の弟・昌治が総代謝辞を述べているので、二年連続の総代輩出という誉れに瀬川家は浴したことになる。昭和十三年の「式事録」には中等科総代として東健の名があり、初等科卒業生名簿にはシャム国駐日公使の子弟ブリーダ・プラスナリの名も見える。

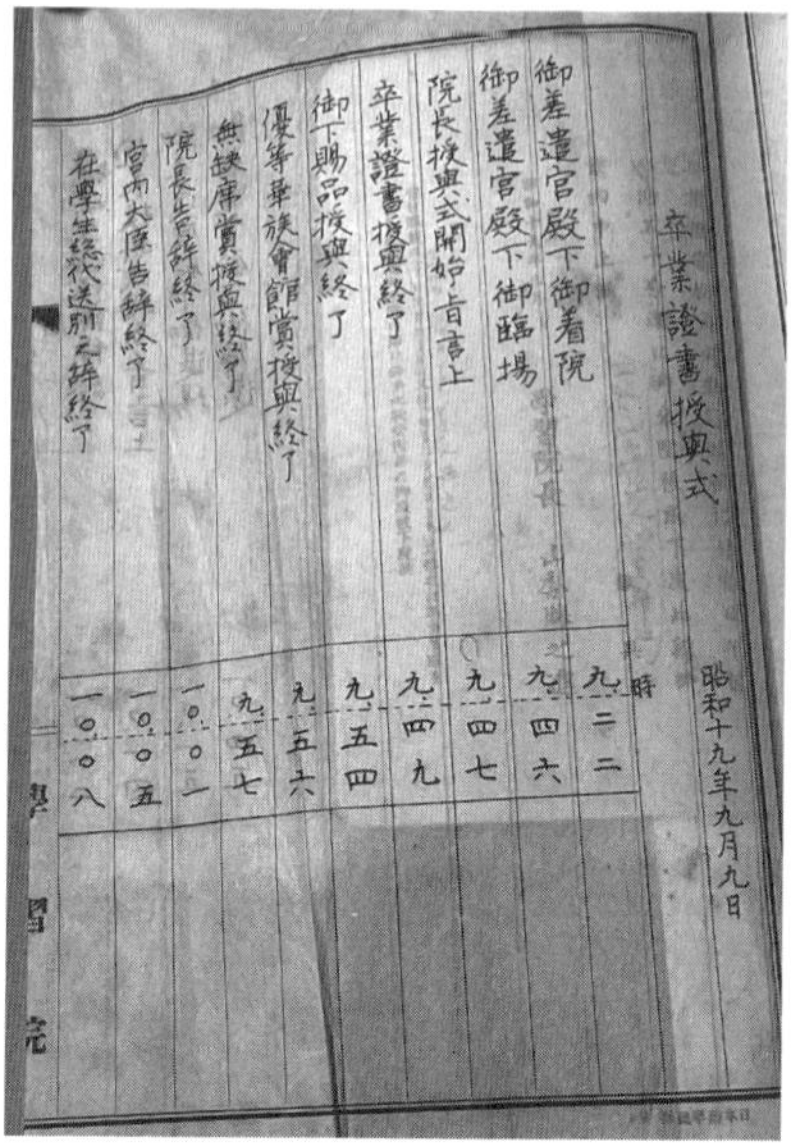

さて、昭和十七年度から高等科卒業式は初・中等科と分離して、半年間の繰り上げ催行となる。したがって、昭和十七年の学習院は三月二十四日に初・中・高等科合同の卒業式、九月二十八日に高等科単独の卒業式、二度の卒業式を経験することになった。なお皇族の差し遣わしは高等科卒業式にかぎられ、初・中等科卒業式では御真影を仰ぐのみとなる。

翌昭和十八年、文系大学生の徴兵猶予が撤廃される。雨が降りつづくなか、神宮外苑競技場で「出陣学徒壮行会」がおこなわれ、東京帝大文学部生・江橋慎四郎が「生等《せいら》もとより生還を期せず」と出陣の辞を述べたのは昭和十八年

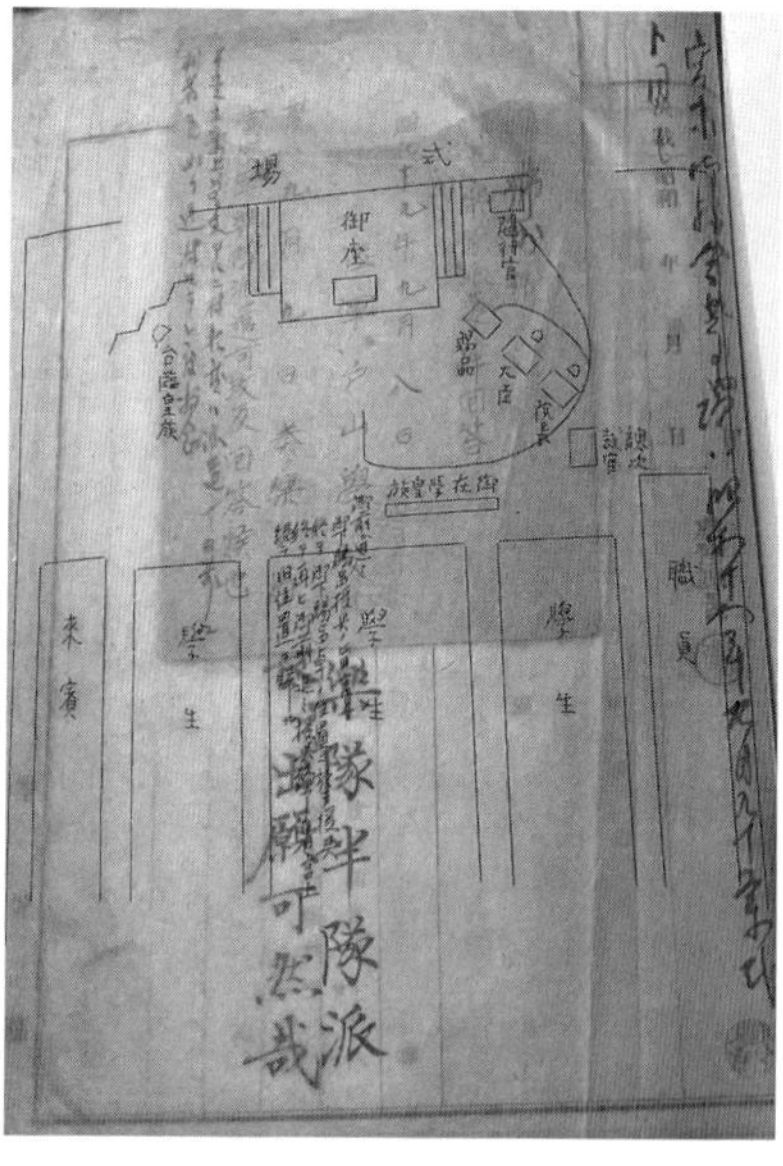

十月二十一日、奇しくも三島の憲法改正への夢を砕いた昭和四十四年国際反戦デーの二十六年前の同月同日であった。

三島が高等科卒業をむかえた昭和十九年九月九日の式には行幸はなく、良子皇后の兄である久邇宮朝融《あさあきら》王の差し遣わしがあった。招待者には内大臣・木戸幸一、侍従長・藤田尚徳、華族会館長・鷹司信輔、東京帝大総長・内田祥三、一高校長・安倍能成のほか、豊島区長、目白警察署長、目白駅長の名が見える。高等科優等卒業生は文科乙類・平岡公威、理科は同点同位で井出幸三と前田宰三郎の二名、ただし卒業生総代謝辞を述べたのは理科の前田宰三郎であった。

総代三名のうち、なぜ謝辞の役が前田宰三郎に決まったのか、その経緯を明かす書類は見あたらない。が、前年の高等科総代謝辞を梅津美一（文科）、前々年の高等科総代謝辞を三島有良（理科）、さらにその前年の高等科総代謝辞は馬場充貴（文科）がつとめていることから、高等科総代謝辞は文科と理科のローテーションでまわす内規があったかと推測される。歴代の謝辞役には平民子弟も多く、族籍による差別があったとは想像しがたい。したがって、三島が前年ないし翌年に高等科を卒業し、同じ成績をあげれば、謝辞を述べたことはまちがいない。学習院アーカイブズの桑尾光太郎氏も同意見であった。

さて、長年の疑問は氷解したが、昭和十九年の「式事録」は思いがけない事実を私に突きつけた。それは昭和十九年九月の卒業式に天皇の行幸はなかった、という事実である。

昭和四十四年五月、東大駒場キャンパス九〇〇番教室でひらかれた東大全共闘との討論集会で、三島は述べた。

「ぼくらは戦争中に生れた人間でね、こういうところに陛下が坐っておられて、三時間全然微動もしない姿を見ている。とにかく三時間、木像のごとく全然微動もしない、卒業式で。そういう天皇から時計をもらった。そういう個人的な恩顧があるんだな」（『討論　三島由紀夫VS．東大全共闘』）

これを読めばだれもが、三島は天皇の面前で銀時計を拝受した、と受けとるだろう。私もてっきりそう信じて疑わなかった。しかし、事実はちがった。三島が生身の天皇を拝したのは昭和九年、昭和十二年、昭和十六年の卒業式であって、昭和十九年のそれではない。また、「とにかく三時間」は誇張で、正堂に天皇がとどまるのはせいぜい一時間である。

だから、全共闘との討論集会での発言は虚偽だ、とまではいえない。が、天皇の面前で銀時計を拝受したという誤読へ読者を誘う発言であり、誤読へ誘うのを承知しながら三島はゲラでの加筆修正もおこなわなかった、とはいえるだろう。誤読の黙過ないし誘導に、さて、どのような意図ないし無意識が働いていたのか、新たな謎が生まれた。

一九五〇年前後の三島由紀夫と大阪の新興夕刊紙 ――新資料三点

斎藤理生

これまで知られていなかった三島由紀夫の資料を三つ紹介する。アンケートと談話とインタビューである。いずれも一九五〇年代前半に、大阪の夕刊紙に掲載されたものである。

（一）「夕刊新大阪」（一九五〇・七・一三、二面）掲載のアンケート「男性対女性　夏の服装批判　臭い髪・汚い足」

（二）「大阪日日新聞」（一九五二・八・一〇、二面）掲載の談話「好きな型・きらいな型…夏と冬の婦人服スタイル…」

（三）「大阪日日新聞」（一九五二・八・一四、五面）掲載のインタビュー「三島由紀夫〝大阪の宿〟」

「夕刊新大阪」と「大阪日日新聞」とは共に、一九四六年に大阪で創刊された新興紙である。敗戦直後には、全国各地で新しい新聞が生まれた。背景には、GHQが、既存の大手新聞の発行部数を敗戦時の水準に据え置いた一方で、新たなローカルメディアを奨励し、優先的に紙を与えたことがある。既存紙の側もすぐに対策を打ち、地方に別会社による新しい新聞を作った。毎日新聞系列の「夕刊新大阪」は四六年二月四日に、朝日新聞系列の「大阪日日新聞」は二月一日に創刊された。戦中から存在した「大阪新聞」も含めて、それら戦後間もない時期の大阪の主要夕刊紙には、文藝記事もたびたび掲載されていた。そのなかに稀に三島由紀夫の名も見える。

これまでにわかっているものに、「夕刊新大阪」に載った随想「私の文学」（一九四八・三・一五〜一六）、「大阪新聞」に載った談話「新しい冒険の試み―自作のねらひを語る」（一九五一・一二・二八）、「新大阪」に載ったインタビュー「自信と懐疑―大阪の三島由紀夫氏―」（一九五二・八・一〇）などがある。これらは決定版全集に収録され、あるいは参考文献において言及されてきた。[1] それらと同じ媒体の中に、まだ知られていないものが載っていたのである。

これらが見つかっていなかった要因は、主に二つあると思われる。ひとつは資料へのアクセスの悪さである。もともと新聞そのものが、保管されることの少ない媒体である。とりわけ地方の新興夕刊紙の場合、所蔵する図書館は少なく、接することが難しい。「夕刊新大阪」は、不二出版によって、創刊から一九四九年一二月三一日までの復刻版が出ている(二〇〇六―二〇〇七)。しかし、一九五〇年代以降については、国立国会図書館や兵庫県立図書館のマイクロフィルムでしか一般には閲覧できない。「大阪日日新聞」の場合、大阪市立中央図書館では原紙を見られるが、それ以外には国会図書館のマイクロフィルムを閲覧するしかない。

もうひとつ、資料としての重みの問題もあろう。まず分量が少ない。この点は、新聞というスペースの限定された媒体の特質が影響している。また、これらのアンケート・談話・インタビューは、厳密な意味で三島の〈作品〉と言えるのかどうか、曖昧なものを含む。談話やインタビューは、記者という媒介を通じている以上、三島その人の言葉として、書かれたものと同じ水準で信用はできないという見方は当然あろう。

しかし、決定版全集には、談話やアンケートも収録されている。それらを読むと、短い言葉の中にも、三島ならではの鋭さやウィットがひらめいていることがわかる。また、書かれた場合とは異なる、不用意に漏らされた言葉に重要な内容が含まれているかもしれない。少なくともそれらは掲載当時、三島がマスメディアやその読者から、どのようなイメージを持たれ、役割を期待されていたか、それに三島がどのように応えたかを知る材料にはなるはずである。

(一)男性対女性　夏の服装批判

臭い髪・汚い足

夏は髪の手入れをちよつと怠るとすぐイヤなにおいがして来るから第一にこれに注意してほしい、それからソックスは虫のかみ跡が目立つて大変みつともない、足の手入れにももつと気を配つてもらいたいものです(作家・三島由紀夫)

学芸

男性対女性

夏の服装批判

うだるような暑さつづきに、ともすれば服装もみだれ勝ちだ。夏は万事開放的になるのは仕方ないが、だらしないのはよくない。気取らずサッパリと―これが夏の服装のエチケットであろう。エチケットとはもっとも完成されたおしやれである。そこで最近

た服装の混乱をいつまでもルーズに放つておいてはいけないという反省が見えて来ている、それだけ日本が経済的にも安定し始めたからであろう、だが将来経済事情がさらに好転するとしても、住居、食物、持物、乗物などのあらゆる部面におい

トなのかわからぬようなのは情ないと思います(東大教授・大河内一男)

臭い髪・汚い足

夏は髪の手入れをちよつと怠るとすぐイヤな

三島由紀夫

一九五〇年七月一三日付「夕刊新大阪」二面の「学芸」欄に、「男性対女性　夏の服装批判」という題名で、顔写真入りで掲載されたアンケートである。冒頭に、新聞社による以下の前書きがある。「うだるような暑さつづきに、ともすれば服装もみだれ勝ちだ。夏は万事開放的になるのは

仕方ないが、だらしないのはよくない。気取らずサッパリと！　これが夏の服装のエチケットであろう。エチケットとはもつとも完成されたおしやれである。そこで最近の服装について男性から女性へ、女性から男性への批判を聞いて見た」。以下、小磯良平「反省と落着きが大切」（＝談・新制作派会員）、「毒々しい化粧」（東大教授・大河内一男）、「臭い髪・汚い足」（作家・三島由紀夫）、南静「場所柄にふさわしく」（＝談・阪急百貨店デザイナー）、「半パンツ反対」（評論家・坂西志保）の順で、それぞれ短いコメントが掲載されている。三島はここで、文芸というジャンルおよび若い男性の代表として扱われていると言えよう。

なお、小磯と南のコメントには末尾に「談」と明記されている。他の三人には談話である旨の記載はない。したがって、三島が自ら書いた文章と判断される。

内容としては、夏の女性の装いについて、髪と足の手入れを希望しているものである。他の識者のコメントを見ると、小磯と大河内とは安易な欧米の模倣に注意を促している。南は場所柄や雰囲気への適応と清潔さを求めている。坂西もショートパンツを否定しつつ、清潔さに重きを置いている。すなわち、他の男性陣の指摘は全体的な印象や注意に向かいがちであるのに対し、女性陣は具体的な対象を明示して批判している。その中で三島は、南や坂西と同じく清潔さを重視すると共に、髪型ではなく髪の匂いに、また上衣や下衣ではなく、足の表面という目立ちにくい部位に着目している点が特徴であろう。

大阪日日　（第三種郵便物認可）

婦人・家庭

好きな型・きらいな型
——夏と冬の婦人服スタイル——
三島由紀夫

関心があるようでないようなのが私の婦人「モード感」である。いまいつたいどんなものが流行といわれているのかも知らない。〝ロングスカートはもうすたれたのだろうか〞ザッとこんな程度である

ただ私の一番好きなスタイルというのは冬のプリンヤスラインという腰、胴の部分に洋服がピッタリ吸いついているあの形である。女の夏のきものはこれでもかといつた露出的なものが多くなつている。だが身体の貧弱な日本婦人には非常にお粗末な感じしか与えない。それはイヴニング姿と同じことだ。パーティに五十人の婦人がイヴニング・ドレスを着ていると、そのうち何人がダンサーでなくみられるだろう。ダンサーと区別出来るのは余つ程の年寄かごく少数の人達だ。（談）

（二）好きな型・きらいな型
…夏と冬の婦人服スタイル…

関心があるようでないようなのが私の婦人「モード感」である。いまいつたいどんなものが流行といわれているのかも知らない。〝ロングスカートはもうすたれたのだろうか〞ザッとこんな程度である

ただ私の一番好きなスタイルというのは冬のプリンヤ《ママ》スラインという腰、胴の部分に洋服がピッタリ吸いついているあの形である。女の夏のきものはこれでもかといつた露出的なものが多くなつている。だが身体の貧弱な日本婦人には非常にお粗末な感じしか与えない。それ

はイヴニング姿と同じことだ。パーティに五十人の婦人がイヴニング・ドレスを着ていると、そのうち何人がダンサーでなくみられるだろう。ダンサーと区別出来るのは余つ程の年寄かごく少数の人達だ。（談）

一九五二年八月一〇日付「大阪日日新聞」二面の「婦人・家庭」欄に、顔写真入りで掲載された談話である。三島は当時、世界漫遊を終えたばかりであった。新聞社としては、最新の海外情勢を見聞してきた若い男性作家に、日本の女性の服装がどのように映ったのかを語ってもらうことが、「婦人・家庭」欄の読者の関心を惹くという見通しがあったのであろう。次の(三)に掲げるインタビューと掲載時期が近いので、別々に取材されたのではなく、インタビューの一部を独立させて談話記事としたと推測される。

ロングスカートが世界的に流行し、日本にもその波が及んだのは、一九四八年から四九年にかけてである。三島はここで、ことさらに時代遅れな印象を強調している。たしかに、三島はこの後に、デザイナーを中心人物とした『にっぽん製』(「朝日新聞」夕刊、一九五二・一一・一～一九五三・一・三一)を連載する。しかし、洋服についての随想を「洋服オンチ」(「装苑」一九五三・三)と題した作家が、この話題に特別な興味を示しているとも思われない。

ただ、三島がここでプリンセスラインを「一番好き」だと述べていることは注目される。プリンセスラインは、ウエストで切りかえがあり、そこからスカートが裾に向かって大きく膨らんだデザインのドレスを指す。同時期に発表された『秘楽』(「文學界」一九五二・八～一九五三・八→『秘楽　禁色第二部』新潮社、一九五三)に登場する恭子は「優雅なプリンセス・スタイルの濃紺のコート」を羽織っている。また、「芸術狐」(「オール讀物」一九五四・六)に登場する鳥子も「プリンセス・スタイルの外套を着て」いる。

三島はのちに「をはりの美学」(「女性自身」一九六六・二・一四～八・一)の「流行のをはり」において、「女性の服装の流行でも、プリンセス・スタイルも消え、サック・ドレスも消えて行つた」と述べている。「私の脳裏では、あのうしろに優雅なひだのついてひろがつたプリンセス・スタイルの外套は、斜陽族のお嬢さんたちの、時代にとりのこされた最後の美しい寂しい面影と結びつ」いているというのである。この談話は、そのような三島の婦人服への思い入れを裏付ける資料である。

(三)三島由紀夫　〝大阪の宿〟
人の心を刺すネオン　パリのは旅愁を誘う淡い色

欧米各地を回つて今春帰朝した作家三島由紀夫氏が、二年ぶりに来阪したが、その宿で聞いた「最近の世相雑感」＝写真は旅館でくつろいだ三島氏

敗れても悔いなし　〃古橋君の手記は残念〃

—久方ぶりの大阪の印象は？

どぎついネオンが非常にきれいだ［。］東京の人は大阪にくるとネオンがきたないという人があるがボクは反対だ、ネオンなんてものは「完全な広告」「商品」なのだから、グサッと人の心の中につきささつてこなければ、アチラを旅していた時に、植村鷹千代さんなんかもいつていたけれど、パリのネオンはみんなパステルカラーなんだ、黄色なんかもダイ〳〵色だし、赤もかすんだようなピンクなんだ、それがずうつとシャンゼリゼやオペラ通りをうずめているわけだが旅をしているものには、この淡い感じしか与えない、パリではネオン都市美観とかいう名目で全部統制されていて秩序が保たれている、アメリカの場合はコマーシャルの国だけに矢張り日本に負けない程どきついよ［。］だけど愚劣という感じは全然なかつた、戦時中まだ大学にいるころ横光利一の「家族会議」を観たがそのシーンにネオンが輝いている都会をみて〃ああうらやましい〃と思った、いまネオンが邪魔だ、なんて思っている連中だってネオンが消えたらきっと寂しがるよ、ネオンが都会だといえるのだから

—最近興味を感じたこと

どこの新聞だったか、四百に敗れた古橋君の手記が出ていたね、読んで非常に残念に思つたよ、古橋君は正直に自

分をさらけ出したつもりかもしれない、しかしボク達がもし何かに敗れてあんなものを書いたとすると笑われるだろう、スポーツマンにだつて同じことがいえる、人間だから勝ちつ放しなんてあり得ない、あればそれはお化けか何かだろう、ギリシアの田園を歩いている時、父に連れられたまだ幼い男の子が〝君は日本人か、フルハシを知つているか〟と聞くほど名前は知れ渡っている、立派なスポーツマンというものは負けた場合の心構えというか、態度も常に持っているべきだと思う、頂上にあるときだけにポーズを持つている人間が多いが、どんな場合にも「意識ある行動」が必要だと思う、橋爪君の場合にだつて同じことがいえる、二着に入れば万歳じやないか、人間だもの、人の思つていることや、自分の思い通りにそう〱うまく行くはずがないよ、日本人の度を外した「感情露出」や、がまんしなくてもよいところをこらえる国民性は大きらいだよ、ボクはある意味では大の愛国者なのだ、外人と会つた時にだつていつも堂々としているよ［。］決してヒケ目など感じてないが、日本人の持つている卑屈な遠慮と度を過ぎた親切は困りものだ、リオのコロンボつて街に行つた時に小さなレストランに入つた、客はパラパラとしかいないのにテーブルは全部詰まつている、つまり四人で占める場所に一人で悠々と食事をしている、日本だと一人で静かに食事をしようと思つてもボーイがすぐ席をわり込ませる、貧しい国柄だからぜい沢はいえないが、お互いの「個人」を大切にして欲しいものだ、そういえば向うで木下恵介氏に会つた時「隣組復活」の話を聞いてゾッとした、向う三軒なんか真平だよ、やかましい

―本社で「うり二ツ」という企画やつたその時「似ていることが、ボクとどんな関係があるか」と聞いた青年がいたが、こんな点からサルトルやカミユの影響は今でも相当人気があるのではないか

そりや面白いね、話した本人はかなりしつかりしているよ、また自分のことをそう軽々しく一面識の人間に話す人もあるまい、カミユにはパリのカクテルパーティで一分間半ほど会つた、とても作家とは思えない身なりの人だつた、それ以外の印象はない、書いたものは全部読んでいるが、サルトルの方が面白い、カミユはフランスの散文の伝統をつぐ最後の人だろう［。］あの人の作品には「明せき」「単純」「簡素」のフランスの保守的な面がよく出ている

―法学博士の滝川政次郎氏が先妻と離別後「通勤の娼婦」をつくり最近その関係を清算して新たに結婚しようとしているが

女から訴訟を起されるのは、その男の現実処理がまずいんだろう、関係中に「女」だけしか意識させなかつた女の側にも罪はある、男は非常に現実的だ、この場合には道徳的なものはないだろう、人間の愛情生活の面ではモラルと

は不誠実と誠実ということだけになる
　—映画は
ホフマン物語がよかつた、ロンドンにいる時に「輪舞」をみた、これは一年前に久保田万太郎さんが行かれた時にもやつていたというが、この輪舞をやつた後で、いままでクス〳〵笑つて画面をみていた観衆が、終ると国歌の吹奏に威儀を正した、それがちつとも不自然じやない、日本の国民儀礼のような強制的ないや味はない

一九五二年八月一四日付「大阪日日新聞」五面に掲載されたインタビューである。文中の［。］は行末ゆえに省略されたと判断した句点を補ったもの。

同時期に「大阪新聞」に掲載されたインタビュー「自信と懐疑＝大阪の三島由紀夫氏＝」の冒頭には、「帰国後はじめて大阪にやつて来たので大丸水曜クラブの講演後寸時間問答を試みた」とある。「大阪日日新聞」は、その後に旅館で取材したと思しい。

新聞社としては、パリ、ニューヨーク、リオデジャネイロ、ロンドン、アテネなどを経験した若い作家に、大阪という都市がどのように映ったのかを語ってもらうことを企図していたのであろう。後世の読者としては、三島が「意識ある行動」の必要性や、「大の愛国者」であることを述べている点も注目される。

以下、記事の中で言及されている人物や出来事について注釈的に記しておく。

美術評論家として知られる植村鷹千代（一九一一—一九九八）は、「銀座の感覚　パリより帰りて」（「讀賣新聞」一九五二・二・二二、四面）で「パリの街の美しい」理由は「デッサンと調和があるから」だとして、「パリでは、市に色彩委員会や照明委員会があって大筋に関する色彩の管理、照明の監督」がなされており「中心地区のネオンなど、品のいい薄青と乳白色でおさえて赤を使わせない」と述べていた。

古橋廣之進（一九二八—二〇〇九）は、五二年七月一九日からヘルシンキで開催されたオリンピックに自由型四〇〇メートルで出場。メダルを期待されたものの八位に終わった。橋爪四郎（一九二八—二〇二三）は、自由型一五〇〇メートルに出場し、銀メダルを獲得した。古橋の手記「戦いに敗れて」は「朝日新聞」一九五二年八月二日夕刊三面に掲載。「私を責めて下さい　きょう限りプール去る」という見出しが付けられていた。

三島が紹介している古橋にまつわる逸話は、『アポロの杯』（朝日新聞社、一九五二）の「デルフィ」の章に、少し形を変えて登場する。バスで仲良くなった十二歳の「二人の小さい友」が「「古橋」の名を知つてゐる」ことが記されているのである。この少年たちとのやりとりは、「日本の株価—通じる日本語」（「改造臨時増刊「真実国民に達せず」

一九五三・三)においてよりくわしく描かれ、「端的なスポーツの勝利が、いかに世界をおほつて、世界の子供たちの心を動かすか」に「羨望」を抱くさまが綴られている。

映画監督の木下恵介とは、世界漫遊中、パリで一ヶ月間滞在せざるを得なくなった際に、同じ宿で親しく交際した。当時の様子は『夜の向日葵』(「群像」一九五三・四)の「あとがき」にくわしい[2]。

日本法制史の研究者である瀧川政次郎については、「滝川博士に『愛情』の抗議　自殺を図った一未亡人」(「毎日新聞」一九五二・八・二、三面)などの記事で大きく取りあげられるなど、やはりこの時期に話題になっていた。

「うり二ッ」は、「大阪日日新聞」による、有名人とよく似た素人を登場させる「ウリ二つ発掘」という企画のことである。五二年六月一三日から八月七日まで紙上に掲載されていた。七月二〇日二面の、三國連太郎に似た人物が紹介されている回で「似ていることは認めるが、それが自分とどんな関係があるのか、とこの青年は似ているといわれるたびにいら立つそうだ」と記されている。

戦時中に観た横光利一原作の映画『家族会議』のネオンの印象や、世界漫遊中に観た映画『ホフマン物語』への好印象、ロンドンで『輪舞』を観た後の観客の印象などは、いずれも「私の洋画経歴」(「スクリーン」一九五三・九)でも語られている。『ホフマン物語』のことは前後にもたびたび褒めている。『輪舞』については随想「映画「輪舞」のこと」(「群像」一九五二・九)でくわしく感想を綴っている。ロンドンの観客については、『アポロの杯』の「ロンドンおよびギルドフォード」の章でも「英国の劇場では、開演前、又は終演後に国歌を奏して見物が起立する習慣がある」として、「「輪舞」を原作とするエロチックな仏蘭西映画のあとでも」そうだったと書いている。

サルトルへの関心の割合や、カミュと話した時間の長さについては、先にも触れた「自信と懐疑―大阪の三島由紀夫氏―」では次のように述べられている。

カミュとはパーティで五分ほど会ったがとても好感が持てた。ボヘミアンの感じがまつたくない。技師といつた感じかナ。サルトルには会わなかつた。もつとも会う気もなかつた。

サルトルへの関心は正反対になっている。一方で、時間の長さには齟齬があるが、カミュとの接触があったことは語られている。また、前年の『異邦人』論争の焦点となった作家と三島との交流が、メディアの関心を惹いていたこともうかがえる。

このように、このインタビューからは、三島がこの後に発表した随想で言及するエピソードがいくつか見つかる。裏を返せば、作家はこのような取材をこなす過程で、メディアがどのような話題に関心を示すのかを冷静に確かめていたのかもしれない。

以上三つの資料は、一九五〇年代前半の三島の横顔をわずかなりとも伝えると共に、当時のマスメディアにおける作家の位置を示していると言えよう。

（大阪大学教授）

注1　『決定版三島由紀夫全集』の「主要参考文献目録」に触れられていない資料として、同時期の「夕刊新大阪」には、荒正人「人物台風⑦三島由紀夫(上)　タブーを犯した彼　浮き上つた野心・眼高手低」（一九五一・九・一八、一面）、山本健吉「人物台風⑧三島由紀夫論(下)　ほとばしる青春　アプレ作家を圧倒」（一九五一・九・一九、一面）のような、比較的早い時期の三島論が掲載されていることも付言しておく。

2　「新大阪」（一九五三・六・一五、四面）には、「『夜の向日葵』雑記」として、この「あとがき」がそのまま掲載されている。大阪と京都であった文学座の公演に合わせたものと推測される。

ミシマ万華鏡

久保田裕子

三島由紀夫は一九六〇年代後半に政治の領域へと近接し、当時の佐藤栄作政権（任期一九六四〜七二年）と深い関わりを持つことになった。そこには文学と政治をめぐる問題が展開していたが、同時代に生きる人々同士の生活のつながりもあった。佐藤は七年八カ月にわたる長期政権を担ったが、『佐藤榮作日記』第一巻〜六巻（伊藤隆監修、朝日新聞社、一九九七・六〜一九九九・四）を参照すると、三島を含めた文学者とのさまざまな人間関係によって織り成された言論の現場が浮かび上がってくる。ここでは三島に関連するいくつかのエピソードを紹介したい。

三島の母倭文重と佐藤の妻寛子を介在した家族ぐるみの交流が続いていたが、『佐藤榮作日記』には、（一九六八年一月十八日　木）「散髪の際、三島由紀夫君に会ふ。」という偶然の出会いの記述も見られる。また佐藤は妻の観劇にしばしば同伴しているが、「（一九六四年十月三日　土）「本多博の案内で小谷、横山両君と般若苑で会食し、後日生劇場の三島由紀夫君のお芝居を寛子と共に見る。」という記述は、浅利慶太演出・水谷八重子主演の『恋の帆影』の初演舞台である。『宴のあと』（一九六〇）のモデルとなった料亭般若苑については、昭和の政治家といわゆる料亭政治の関わりの深さがうかがえるが、三島の作品の背後にあった同時代の官邸をめぐる人間関係がうかがえる。

断想

追悼・田中美代子さん

佐藤秀明

田中美代子さんが、昨年（二〇二三年）十二月二十一日に亡くなった。年明けに、犬塚潔さんが知って、メールで伝えてくれた。虚血性心疾患だったという。八十七歳だった。気力溢れる文体の印象が強く、もうそんな年になられていたのかと驚いた。

初めてお会いしたのは、私が大学院生の頃だった。それまで手紙のやり取りをしていて、お目にかかって話をしたとき、ちょっとした違和感があった。文章と違うのである。あの鬼面人を驚かすような、心の深部に食い込んでくる魔的な評論とは打って変わって、柔和な話し方をする人だった。常識的な、つまらぬ日常的な話にも、丁寧に相槌を打ってくれた。もっとも、親しくなって、田中さんの思いに触れるようなことをこちらが言うと、ムキになって厳しい発言をすることもあり、たじたじとさせられた思い出もある。

田中美代子の三島由紀夫論のデビューは、雑誌「文学者」の昭和四十年十二月号に載った「三島由紀夫小論――「獣の戯れ」をめぐって」である。「小論」といういかにも謙虚な、素人臭くもある題名に比して、田中美代子は三島由紀夫の作品の精髄について思いの丈を挑戦的に書いている。抽象的で論理的な構成の小説を書きたいと、舟橋聖一との対談で語った三島の発言を引いて――丹羽文雄の主宰する「文学者」に掲載される評論に、いきなり「舟橋聖一との対話」を引用する無頓着ぶりは田中さんらしいが――これもいきなりという感じで、次のように書く。

> 人は、いつもどこかで自作の秘密をあかす。この「対話」における三島由紀夫の発言から、約十年たって書かれた「獣の戯れ」が、この意図の正確な実現である。
>
> 文体、構成、主題が一体となって、作品に凝固する。これはおそらく、そのためだけに書かれた小説なのである。作者に取って、この小説を書くことは、いわば「作品」の純粋培養の試みだった。

『獣の戯れ』は論じにくい小説である。ストーリーや登場人物を分析しても、何も出てこない。しかし田中美代子は、この小説の中にするりと入り込んで、「この小説を書くことは、いわば「作品」の純粋培養の試みだった」と確信をもって述べる。論証も何もない。この論全体が論証だと言わんばかりである。

読み巧者、読みの手練れと言われる人は世に何人もいる。田中美代子はそういう人たちとは少し違っていた。直感で三島由紀夫の文章に侵入し、同化して、その核心を摑み、凡人にも分かるように増幅して示すことのできる人だった。

――「言語がいわば、人間的なものの勝利の象徴であるなら、この失語症患者は、破綻をきたした文明の象徴にほかならない。」「破綻した言語は、そのまま人間世界の崩壊の暗示だ。」「人々が指して、三島由紀夫の文体の「修辞、比喩、警句」などとよぶところのものは、それが人々にとって、単に修辞、比喩、警句としかみえなかろうと、その文学の本質にかかわっている問題である。それは魔術の呪文であり、手品のカードだ。」「夢想家は、夢想の断念によって、つまり絶望を起点として、現実を裏側から眺めることをおぼえる。」「彼は自由自在に現実を変貌させる。それはこの現実世界に流竄の身の夢想家の考え出した復讐なのだ。」
（「三島由紀夫小論――「獣の戯れ」をめぐって」）

　こういう評言は、自分の感性や精神が作者の文体と一体化していると確信できなければ出てこない。そこには怒りの感情までもが滲み出ている。三島がむしろ疾うの昔に諦め職業的に抑制していた怒りを、田中美代子が代わりに怒っている。三島文学への通俗的なステレオタイプの理解に怒っている。どうして三島由紀夫が指し示している〝ここ〟にまで、誰も進もうとしないのか、と。そういうところがおそらく三島の信頼につながり、無名の書き手であるこの人に、新潮文庫『獣の戯れ』の解説依頼を舞い込ませたのである。その後田中さんは、『午後の曳航』『天人五衰』の解説のほか、夥しい数の解説をものすることになり、新潮社版の二つの『三島由紀夫全集』の編集を全うしたことはよく知られていよう。

　文芸評論家田中美代子は、私に言わせれば、良質な解説者だった。三島文学の読解を基盤として論を立てるのではなく、鋭い読みで深く恐ろしい地点にまで到達し、それを見事に〝こちら〟の言語で解説してくれる人だった。小説の仕組み、いわば小説とは何かを三島文学を通して解き明かした。そこには堅い岩盤である現実が存在し、びくともしない現実に文学のことばがいかに立ち向かい、異なる世界に変容させてしまうのかが追究された。体ごと三島文学に侵入し、その文体から恐ろしい奇蹟を獲物として持ち帰るのが、田中美代子の評論であり、この全身を賭した営為が、文学研究の世界では疎かにされていることをも言外に批判していたように思えてならない。

　二〇一九年に三島由紀夫文学館が開館二十周年を迎えたとき、田中さんに記念講演をお願いした。犬塚潔さんが聞き手となって、田中さんの三島への思いを引き出してくれた。三島から「真のリズール」と言われた手紙も披露された。前日の夜、同じ宿を取った私は夕食を共にしたが、田中さんは話に夢中になられて、ほとんど食事に手をつけなかった。講演の日の午前に、忍野八海に車で行った。人が多く道が狭いので、少し離れた駐車場に誘導され、そこからぶらぶらと歩いて忍野八海を見ていたら、田中さんは急に疲れたと言って、売店のベンチに座り込んでしまった。慌てて駐車場に駆け戻って、車をどうにか店の前にまで動かして文学館までお連れした。

しかし講演が始まると、昨夜のように元気に話に興じておられた。その夜、ご自宅に電話をすると、無事帰宅したとのことで安心したが、毎年、「三島由紀夫研究」の忘年会でお目にかかっていたときよりは、だいぶ弱っておられるなと気になった。

あらためて田中美代子さんの業績を振り返ると、あの力強い文章が蘇ってくる。いまは安らかな眠りを祈るばかりである。

断想

田中美代子・追悼文

犬塚　潔

２０２３年12月21日、田中美代子さんが亡くなった。享年87歳、急性心不全（虚血性心疾患）であった。

田中さんは、誰もが認める三島由紀夫文学研究の第一人者であった。１９６５年12月号の「文学者」に掲載された「三島由紀夫小論『獣の戯れ』をめぐって」によって、三島由紀夫自身に見出された。１９６６年7月に三島の指名で新潮文庫「獣の戯れ」の解説を執筆し、１９６８年7月には新潮文庫「午後の曳航」の解説を執筆した。それまで全く無名であった田中さんは、三島によって発表の場を与えられ、三島から没後の評論を託された。

「三島文学は男のロマン」とする評論家もいる中で、三島が最終的に作品を託した評論家が、男性ではなく女性であったのはおもしろい事実である。三島は自決直前に企画した短編全集全6巻の月報の解説に田中さんを指名し、また三島由紀夫全集の編集にも田中さんを指名した。

１９６８年8月7日の書簡で、三島は田中さんの解説を絶賛している。

「一度田中さんの小生に関する御文章を拝見してから、ぜひ解説をお願ひしたいと思って、新潮社に申し入れ、だんだん図々しく、二冊もお願ひしてしまひました。

『獣の戯れ』も『午後の曳航』も、小品ではありますが、文壇では顧みられなかった作品で、しかも精魂こめて書いたものですから、どうしても貴女のやうな真のリズールの御解説をいただきたかったのです。（略）

二冊とも実に美しい解説の文章を書いていただき、心からうれしく存じました」

三島によって見いだされ、三島によって発表の場を与えられた田中さんは、生涯の仕事として三島由紀夫論を書くことを、この書簡によって決定づけられた。

書簡の最後に「いつかお目にかかるのをたのしみに」と書きながら、その後自決までの2年3ケ月の間、三島は田中さんに会わなかった。また、田中さんも三島に会おうとしなかった。会おうと思えばチャンスはいくらでもあった。田中さんはいつでも会えると思っていた。三島の演劇を観に行った時にも、一緒にいった友人に「三島さんがいるわよ。挨拶していらっしゃいよ」と言われた。田中さんは三島を見かけたが挨拶はしなかった。三島とはきちんと会いたいと思っていた。

神奈川近代文学館・三島由紀夫展 2005年4月

三島が田中さんに会わなかったのは、自決計画を悟られることを恐れたためではないか、と田中さんは考えていた。

2020年11月、三島没後30年に新潮社より決定版三島由紀夫全集(全42巻・補巻2)の刊行が開始され、2006年4月に完結した。

内容見本に、「田中美代子氏の詳細な作品解題を収録」「月報には、田中美代子氏の三島論」とある。田中さんは全42巻に三島論を寄せた。この作品論は、一冊の本にまとめられ、2006年10月に「三島由紀夫　神の影法師」というタイトルで新潮社より刊行された。この本は三島作品評論の金字塔であり、三島研究のバイブルである。

初めてお目にかかったのは、2005年4月22日、神奈川近代文学館の三島由紀夫展の内覧会の時であった。私のことは三島マニアという認識であったと思う。一度拙宅で資料を御覧頂いたことがあった。最も多い質問は「どうしてこれがここにあるのですか」であった。

私の三島論で、田中さんが喜んでくださったのは「『豊饒の海』の装幀の秘密」と「三島由紀夫と田中美代子」であり、興味を持たれた資料は「東文彦宛三島由紀夫書簡」であった。

2018年11月23日、電話があり「三島由紀夫の書簡を差上げます」とおっしゃった。最も大切にしてきた書簡を保存しなければならないと考えたのであった。私が選ばれたことは光栄であった。その際、同人誌「文学者」を頂戴し、三島論発表の経緯をお聞きした。しばらくして「三島由紀夫と田中美代子」が完成した。

2019年8月24日、三島由紀夫文学館開館20周年記念

式典が行われ「開館20周年に寄せて」というタイトルで田中さんの記念講演が行われた。館長の佐藤秀明さんからアシスタントの依頼があり、私が画像を映写してそれに沿って話をして頂くことになった。田中さんの講演は好評であった。

　2020年は三島没後50年であった。TBSに田中さんの出演する番組をと提案し、田中さんを紹介する役を仰せつかった。

「ザ・フォーカス　三島由紀夫に魅せられた人たち」は2021年1月11日、午前1時20分から深夜番組として放映された。30分番組で田中さんが三島由紀夫の文学の本質や三島由紀夫研究の神髄について語っている。TBS秘蔵の初めて見る三島の映像がたくさん使われていて、他局のどの番組よりも重要な番組になっている。この番組は現在でもTVerやYou Tubeで見ることができ、これまで80万回以上再生されている。

「豊饒の海・暁の寺」の最終回に「今にして明らかなことは、本多の欲望がのぞむ最終のもの、彼の本当に本当に本当に見たいものは、彼のいない世界にしか存在しない、ということだった。真に見たいものを見るためには、死ななければならないのである」と記されている。

　2023年12月21日、田中美代子さんはやっと三島由紀夫に会うことができたのである。

合掌

ミシマ万華鏡

佐藤秀明

三島由紀夫の参考文献を整理していると、時折妙なものに出くわす。国会図書館のNDLサーチで「ダム技術」という雑誌が検出された。何だこれは？　と思ったが、気づいてみれば何のことはない。『沈める滝』についてのエッセイである。「ダム日本」という雑誌もあった。「ノーマライゼーション」なる雑誌も出て来て、「文学にみる障害者像」という論文がある。これは『金閣寺』論である。

「スキージャーナル」が出て来たときには、これは何かの間違いだろうと思った。しかし「実感的スポーツ論」に絡めたエッセイの掲載誌だった。ついでに述べておくと、国会のNDLサーチは誤りや不十分な記述がかなりある。紀要で年度を麗々しく印刷してあるのを、発行年と勘違いしているのがいくつもある。翌年の二月とか三月の発行であるのに。そもそもなぜ年度を掲げる必要があるのか。最近は外国人も見るので、混乱するにちがいない。現に図書館員が誤って入力している。

　新聞や週刊誌には、「三島由紀夫の行きつけの店」がよく出てくる。レストランやバーである。残念ながら存じ上げない。一、二度行けば「行きつけの店」になるらしい。『作家のおやつ』という本がある。下田のマドレーヌだろうと思ったら、案の定そうだった。リストに入力する。

　様々な関心があり、切り口がある。中公文庫の書名に「三島の松」とあって、ピンとくる人はいる。――こんな作家は古今東西いない。

書評

伊藤禎子 著『円環の文学――古典×三島由紀夫を「読む」』

古典文学研究者による三島文学論

木村朗子

三島由紀夫の『豊饒の海』は、三島自身が『浜松中納言物語』にヒントを得たと述べている転生の物語である。そういうわけで古典文学者による『豊饒の海』論はこれまでにも書かれているし、三島由紀夫の小説は古典文学者の関心の範疇に常にあった。

となると、三島由紀夫研究者にとって、『浜松中納言物語』をはじめとする古典文学はまさに必読の書であるはずだが、現在のところ近現代文学研究と古典文学研究のあいだには縦割りの断絶があって、ともに議論するような場は用意されていないように思われる。

そもそも少し前までは三島由紀夫は、切腹という奇怪な死とそれに密接に関わる彼の政治思想とを鑑みてやや扱いにくい作家であり、言うなればタブー視されていたと思う。そのタブーの時限は過ぎたとみえて、三島由紀夫研究は、とくに二〇〇〇年以降とみに盛んになった。とはいえ扱いにくさの根源が時効になったわけではなくて、たとえば平野啓一郎の長大な『三島由紀夫論』にしても、この問題にふれずにはおれなかった。

その一方で、三島由紀夫が生きていた時代の空気感は確実に失せていて、戦後文学を若手が刷新していくような契機もみられる。伊藤禎子『円環の文学』もまたまったく別の場所からまったく別の角度で三島文学を考えているようにみえる。本書の「あとがき」によれば、平安文学の『うつほ物語』を中心に平安文学を研究してきた伊藤が三島文学に本格的に取り組むのは、アメリカ、ボルチモアの高校でのワークショップをきっかけとしているという。伊藤は三島の『豊饒の海』を読んでから、『浜松中納言物語』を読み直している。

文学史の順序として、あるいは古典文学者の読みとして、一般に『浜松中納言物語』から『豊饒の海』へと読み解かれるべきものを、逆順に読み直すというしかたは、本書において、三島自身が『豊饒の海』について語った「どこかで時間がジャンプし、個別の時間が個別の物語を形づくり、しかも全体が大きな円環をなすものがほしかった」というときの「円環」の方法へと結ばれている。実際に、私たちは文学作品をすべて時代順に読んでいるわけではないし、明らかにあとに書かれた作品を以て、それと古典文学が似ていると考えたりするような読書経験をしている。私たちは歴史研究者ではないのだから、文学研究としての読みを重視するのであれば、そのような「円環」する読みは考えるに値する一つの方法である。

本書に扱われる平安文学は、『うつほ物語』『落窪物語』『源氏物語』『浜松中納言物語』『松浦宮物語』であり、本書の冒頭には、それぞれの物語の人物関係図とあらすじがまとめられている。『源氏物語』は別として現代語訳などがなく、かつまた馴染みのない作品にはじめてふれる読者への配慮である。また序文に高校や大学で文学を講じるにあたって注意すべき点がまとめられている点にも注目したい。「国語」という教科学習において、作者の存在はやっかいで、いつまでたっても作者の意図としてしか文学を読めない人もいる。日記作品のように明らかに作者らしき人がでてくるときの読み方として「偽装朧化」が提起されているのは刺激的だ。「偽装朧化」によって三島由紀夫という作家存在のあり方についても突破できるのではないか、と伊藤は問うのである。

　本書の構成は前半部に『うつほ物語』『落窪物語』『源氏物語』を読む論が並び、中盤から三島由紀夫の『潮騒』『午後の曳航』『近代能楽集』『花山院』『美しい星』『鏡子の家』などに言及しながら、『豊饒の海』を『浜松中納言物語』と併せ読む論がつづく。二〇一八年の中古文学会春季大会でのミニシンポジウム「時空を越える中古文学—その普遍性を探る」での口頭発表にもとづく論「〈三島由紀夫〉と中古文学—鏡面としての豊饒の海」が興味深いのは、『浜松中納言物語』がいかに読まれてきたかという研究史にふれながら、そこに三島由紀夫の読みを位置付けている点である。

　『浜松中納言物語』や『松浦宮物語』というのは、『源氏物語』などとは異なって、古典文学研究においてはいつも「亜流」文学としての扱いに甘んじてきた物語で、いろいろな意味でおもしろい作品ではあるが出来がいいとは言い難いところがある。同様に『古今和歌集』の完成度の高さと確立した評価に対して『新古今和歌集』というのはどこか歪な捉えどころのない歌集だと言われてきた。ところが一転、『新古今和歌集』評価が高まった昭和十年代の論調があった。本書では、三島由紀夫がそうした議論の最中に古典に触れていたことを以て、三島の『浜松中納言物語』への接近を跡付けている。

　『豊饒の海』の「春の雪」で松枝清顕がきょうだいのようにして育った綾倉聡子への恋を「至高の禁」とするにあたっては、平安古典文学研究としては『浜松中納言物語』からのみ解くわけにはいかない。なぜならそれは『伊勢物語』『源氏物語』『狭衣物語』とくり返し描かれてきたモチーフであり、文学史をつらぬく一つの型であって、『浜松中納言物語』の発明ではないからだ。「『源氏物語』「至高の禁」の系譜」のなかで、きょうだいのように育った男女の恋の「禁忌」が古典文学研究でどのように論じられてきたのかを整理し、「春の雪」論へと結んでいく。

　『豊饒の海』のもっともやっかいなところは、三島由紀夫がそのように宣言したからといって、一読したところ『浜松中納言物語』は、転生というモチーフをのぞいてはちっとも似ているようにみえない点だ。三島由紀夫はいったい『浜松中納言物語』の現存本文からなにを読み取ったのか。この議論は『豊饒の海』理解の要として長く求められていたことであるように思う。

　転生とは何かと考えるとき、それは現在の生のなかに過去の生が重なりあった状態をみていることなのだとわかる。私たちは『豊穣の海』を読むとき、似ても似つかないタイ王女ジン・ジャンのなかにさえ松枝清顕を探そうとして読んでいる。そのあり方を『浜松中納言物語』の転生譚をとおして微細に解きほぐしていくのが本書『円環の文学』の醍醐味だ。三島由紀夫研究の側の応答に期待したい。

（二〇二三年五月、新典社、四二四頁、本体三四〇〇円＋税）

書評

長和由美子 著

『手記　三島由紀夫様　私は森田必勝の恋人でした』

篠原　裕

旧知の医師で三島由紀夫研究家である犬塚潔氏によれば、5年位前30代の医師30名に尋ねた所、三島由紀夫については全員が知っていたが、共に自刃した森田必勝《まさかつ》について知っていた人は皆無であったという。犬塚氏は、自ら蒐集した厖大な資料を基に、事件50年後の令和2年に、「三島由紀夫と死んだ男－森田必勝の生涯」（秀明大学出版会）を上梓、森田の死にスポットライトをあてた。そこで氏は森田必勝の自刃を、武人としての死を願った三島の死に大きな意義づけをしたと評価した。本書の著者である森田必勝の恋人であつた長和（旧姓柴田）由美子氏は、犬塚氏の著書に続いて、本書によつて「三島事件」或いは「楯の会事件」の中心人物の一人であり、埋れつつある森田必勝の存在を、半世紀を経た今日鮮やか浮かび上がらせた。本書はいわば森田必勝鎮魂の書、そして奇蹟の書である。

三島由紀夫率いる楯の会は昭和44年10月13日を以て、学生長が持丸博から森田必勝に代り、以降会の連絡方法として「フォーンセクレタリーサービス（電話秘書業務―伝言サービス）」を活用したのである。長和氏はそのサービス業務の担当窓口となったのがきっかけで、森田と出会い、交際が始まり、別れがあり、事件までの約1年間、そしてその後3回忌までの3年間を詳細にメモとして残しておいたものを、犬塚氏の著書を読んだことが契機となり、今回手記という形で上梓したものである。

私はといえば、早大へ入学した昭和42年4月、キャンパス構内に並んだ新入生勧誘のサークルの一角に、「国防部」の立看板と共に数名の先輩たちが陣取っているのを認め、直ちに加入した。そこに森田さんがいたのである。それから上部団体である日本学生同盟の活動、翌年3月の楯の会1期生としての自衛隊での訓練から事件までの3年8ケ月に渡って活動を共にし、事件当日は例会が行われる予定で、事件の舞台となつた陸上自衛隊市ヶ谷駐屯地に隣接する会場の市ヶ谷会館に、何も知らされずに待機していたのである。

森田さんは、事件前自身の資料を処分してしまったため残っている資料は殆んどない。事件に蹶起し残った3名と所謂十二社グループと云われる数名の人以外に氏と親しく接した人たちも見当たらず、また彼等も多くを語らないため、裁判等を通じ公になったことを除き、氏が三島先生と知り合い蹶起に到るまでの心情を推し測れるものは殆んどないといってよい。しかしこの手記には、長和氏が行った業務の内容と、森田との交際の内容が詳細に記されており、それらのエピソードから森田が、学生長に就任してから自決に至るまでの約1年間の行動と心の動きが透かし見られ、今日まで長和氏の存在は全く知ることがなかったのに、私には手記に出て来る二人の逢瀬の場所や情景が目に浮かび、半世紀前の事件がつい昨日の如くに脳裏によみがえるのである。

そして、事件約ひと月前の10月中旬、森田さんから呼び出しがあり、新宿駅西口の地下の寿司屋での出来事が思い出されるのである。そこで森田さんは、私のもう一人の師である橘孝三郎が5・15事件に蹶起した際、何故責任を取つて死ななかったのか、と問うたのである。私は全く予期せぬ問いに一瞬躊躇したが、「日本の再建を託されていたのだ」と答えると、「そうか、わかった」といい、話はそれで終った。その時は仕送りがあつたばかりなので私が勘定を持つと、次は俺が払うからな、と言った。いつもは終始にこやかであるのに、表情が少し硬かったのをはっきりと記憶している。

さて、本書である。様々なエピソードがつづられているが、蹶起の計画が進められていることは知る由もなかったが、その日が近づくにつれ、森田の態度に微妙な変化が見られ、長和氏は不安を感ずるようになる。しかし時間が解決するだろう、との思惑ははずれる。

10月30日、金曜日。長和氏のアパートに突然訪れた森田はこう言った。「君には俺より君にふさわしい人が居ると思う。そいつを見つけて幸せになってくれ。」…別れの言葉である。3週間後には蹶起が迫っている。森田はけじめをつけなければならなかったのである。森田との将来を真剣に考えていた長和氏は、涙が溢れ出るばかりで声が出なかった、と記す。森田はつづけて「俺を恨まないでくれ…」、「好きだよ。本当に好きなんだ。君と結婚したいと思って付き合ってきた」、「俺にとってはただ一人の女性…君のことは忘れない！俺の事を忘れないでくれ。心の片隅でもいい、森田ひっしょうという奴もいたっけくらいにおぼえておいてくれ…」、「待って！」という言葉に、森田は振り返らず部屋を出て行った。ここまで読んで私は落涙した。

事件後の12月22日、火曜日。この日、長和氏は森田と共に決起した小川正洋の妻K子さんを尋ねた。その存在を長和氏は週刊誌の報道で初めて知った。K子さんによれば、事件同年の5月に小川から同棲の誘いがあり、「実は俺は死なければならないのだが、一緒に死んでくれるか」と言ったという。彼女は「いいわ」と返事をし、それ以来、共に生活し、現在妊娠4ヶ月、籍は入っている、と語ったという。また、11月、彼女が「いつなの？本当にやるの？」と聞くと、小川氏は「25日決行だよ」とぶっきらぼうに答えたといい、以前「きっと事前に発見されてダメになっちゃうよ」とも話していたそうである。これが事実ならばよくも露見しなかったものだと思う。11月25日の蹶起は奇蹟的だったのである。K子さんはすべて知ったままその時を迎えた。何も知らされないままその時を迎えた長和さんには無念の思いがつのった。

追記の項にこうある。「事件から6年過ぎた昭和51年（１９７６）、私は27歳になつた。知性アイデアセンターで仕事は続けていた。森田さんの事は忘れることはできなかったが、諦めることはできた。周囲の説得に敗けて、私は結婚した。森田さんと同じ温厚で優しい性格の人だった。2年後に長女、それから7年後に長男が誕生した。それからさらに20数年が過ぎて、娘が結婚した。初孫が産まれた。男の子だった。娘がお祖父さまと夫の名の一字ずつを取ってつけた名前は『まさかつ』。私の初孫の名前は『まさかつ』という』。その名は意図したものであったかどうかは記されていないが、私は再び落涙した。

（二〇二三年六月、秀明大学出版会、二六二頁、本体二二〇〇円＋税）

書評

平野啓一郎 著『三島由紀夫論』

梶尾文武

本書は、『仮面の告白』『金閣寺』「英霊の声」『豊饒の海』の四作を主な対象とした、三島由紀夫作品に関する長大な内容解釈の書である。著者が知られた小説家であることは、ここでは顧慮しない。以下、本書の概要を辿ってゆこう。

Ⅰ「『仮面の告白』論」は、主人公における性自認という観点から本作を解釈する。みずからの出生の光景から説き起こす主人公は、他者の認識を拒否しつつ、言語化した自己を現実と対置し、これを「不変の本質」として証明しようとしている。ここに本作の目的があるとする著者は、主人公にあっては性的快楽をともなう自己処罰的な夢想が戦争の時代の死の教義への官能的共鳴をもたらすことに着目し、絶対者すなわち天皇の下での死と、自己否定と不可分なエロティシズムとが直結するという、三島文学の根源がここにすでに見出されると論ずる。

本作は同性愛を描く前半と主人公が異性愛の世界に出発した後半とが異質な印象を与える。著者はこれを捉えて、性的指向と恋愛指向の不一致と解釈する。すなわち著者によれば、主人公の肉体上の同性愛も精神上の異性愛も「本物」であって、両者の間に序列などない。ところが園子との恋愛が、みずからの同性への性的指向ゆえに「贋物」化されてしまうこと、主人公の苦しみはこの点に起因すると著者は主張し、その背後に三島文学を貫く肉体と精神の二元論を見て取る。

Ⅱ「『金閣寺』論」では、「金閣」を天皇のメタファと見る解釈を、作品の細部に当たって具体的に裏づけることが試みられる。著者によれば、本作における「現実の金閣」と「心象の金閣」との乖離は、〈現実の天皇〉と作者三島が少年時代に抱いた〈心象の天皇〉との乖離と類比的に捉えられるという。また、戦中の主人公が金閣に抱いた共滅願望は、死を媒介とする天皇との合一願望と類比しうるものである、と著者は論ずる。

主人公の放火の直後、究竟頂の扉を内部からあけてくれることが望まれた「誰か」についても、著者はそれを天皇と同定し、そのように仮定すれば三島の四十代の挫折をここに重ね合わせることができると主張する。さらに、作品末尾の「生きよう」という言葉については、天皇神格化を否定し、民主主義社会へと適応した日本人の経験を、三島がようやく追認したことを意味する、と著者は解釈する。

Ⅲ「『英霊の声』論」については、著者は、作中の二つの霊の質的差異に注目する。すなわち、前半に登場する二・二六事件の青年将校たちの霊が奉ずる天皇には、混沌とした行動原理としての「みやび」が投入されているのに対し、後半の特攻隊員たちの霊が奉ずる天皇は、少年期より憧憬してきた、死によってしか接近しえない「到達不可能なもの」としての性格を帯びている。このように主張する著者は、相容れぬ両者を統一しようとする努力を本作に見て取り、大衆化を通じて天皇と国民が易々と一体化した戦後社会を拒否する三島の態度をここに読む。

Ⅳ「『豊饒の海』論」は、三島の作品

群が内部にあるいは他作品と相互にシンメトリー構造を備えることを踏まえつつ、この四部作へのアプローチを試みる。唯識説を学んだ三島は「一切は阿頼耶識の産み出す虚妄である」という命題と「現在に於いては外界が実在する」という命題との矛盾に頭を悩ませる。だが後者の命題は、三島がヨーガの実践抜きに唯識を理解しようとしたことからくる誤りである。こう主張する著者は、三島の世界認識の構造を「芸術／天皇」—「文化」—「現実所与」—「物自体」—「世界無」という五つのレイヤーからなるものとして図示し、そうした構造化の契機として戦争体験を意味づける。

　如上の総説にもとづき、各巻の内容解釈が試みられる。『春の雪』の主人公清顕に関して著者が注目するのは、その真贋意識である。聡子を前にして、清顕の優雅はコピーであるがゆえに過激化する。このように論じた著者は、清顕は三島の異性愛と夭折への憧憬を体現した「ヒーロー」であるとともに、その憧憬は認識者としての本多を介在させることで間接化されている、と指摘する。『奔馬』の主人公が抱く神風連への同化願望についても、著者は清顕と同様のコピーの過激化と捉えつつ、官製の教育勅語的天皇観を信ずる勲を三島は戯画化するのではなく、その純粋さに感情移入していると論ずる。また、母性的な日輪崇拝に促された勲の自刃については、「天皇が抱え込むべき一種の負債」としての意味を持ちうるところに、本作の批評性を見て取る。『暁の寺』に関しては、主人公にジン・ジャンが選ばれたことがシンメトリー指向という観点から捉えられ、愛するに足る魅力を欠くからこそ、彼女が神秘化され、本多の愛が当為となるプロセスが追跡される。『天人五衰』では、主人公透の「真贋」問題が物語そのものの興味として読者に提示されるとともに、本多が若かりし日に見聞した本物の成金を「贋物」としてコピーするに至る、と著者は解釈する。

　本書は、三島作品に関する優れた作中人物論である。興味深いのは、作品間にシンメトリカルな配置を見出そうとする著者の解釈視角が、各作品とその主人公のみならず、副人物の布置を可視化しえている点である。『金閣寺』における下宿屋の娘や生花の女師匠、『豊饒の海』における飯沼みね、椿原夫人、本多梨枝といった、あまり目立たない人物とりわけ女性副人物の機能が解明される。

　こうした副人物への照射が示しているように、三島作品の内容を隈なく意味づけることが本書の目論見である。作品の細かな襞にまで解釈の光が当てられるが、結果、作品の立体的なフォルムは消去され、平面化されたと見える。これは、ナラティヴや登場人物といった小説を立体化する機能が、専ら一元的に作者自身の思想へと還流されたことに起因しよう。

　本書に一貫するのは、三島ひとりが考えたことを著者ひとりで考えようとする姿勢である。だがそれでは、三島が天皇へと傾斜して行ったことの謎を解くことはできないのではないか。たしかに三島は歴史に超然とした対象として天皇を構想したが、その構想が歴史に超然としているわけではない。三島における天皇は、あくまで同時代の思想的文脈とのアンタゴニズムのなかで構想されたと見るべきである。そこにアプローチすることが、研究者に残された今後の課題となる。

　（二〇二三年四月、新潮社、六七一頁、本体三四〇〇円＋税）

書評

レーザ・チャッパローニ・ラ・ロッカ 編

『ミシマ・モノガタリ』

村松真理子

『ミシマ・モノガタリ』（*Mishima Monogatari. Un samurai delle arti*, a cura di Teresa Ciapparoni La Rocca, Torino, Lindau, 2020）はちょっと不思議な本だ。ミシマをめぐる作家論と人物像の様々な側面を見直し、一冊の中で、できるかぎりさまざまな方向から光を当てて「語ろう」という試みから生まれたもので、従来の作家論にはおさまりきらない。

　日本文化の美術・文学などのさまざまなジャンルをはば広く長年にわたって研究しつつ、専門家にだけでなく、イタリアの学生・愛好家・読者たちに伝えようとしてきた編纂者テレーザ・チャッパローニ・ラ・ロッカ氏ならではの労作で、単なる研究書でも、評伝でも、入門書でもない。どのようにこの日本人作家のテクストと彼の特異な文学・芸術・美学・政治観が生まれてきたのかを、今あらためて探り、読み解こうとするものだ。そこでは、作家本人の軌跡と人物像をめぐる言説あるいは「神話」を今、どう捉えるのかも重要なテーマになっているようだ。つまり、文学的・専門的な研究に限らず、多様な視点から語り直し、新たな三島文学と三島像を浮かび上がらせ、新たな読者にも伝えようという試みだ。

　全体で412ページになるこの本を、開いてみることにしよう。まずは、編纂者による短い序文「ミシマとはだれだったのか」。そこには、すでにイタリアで読むことのできる三島の評伝などを紹介した上で、没後五十年を記念してあらためて新たな読者との出会いを期待することが述べられる。そして本書が目指すのは、作家のさまざまな顔の中からいくつかを分析しつつ、「特に世界で彼と彼の作品がどのように知られているのかを探ること」だと述べる。ミシマの受容を紹介するために、日本研究者のテクストだけでなく、作家・文学研究者以外のさまざまな分野で活躍する人々からの三島文学の評価を掲載することにしたと説明する。

　それにつづく最初の章が、「人間として、芸術家として―テクスト、演技、行動」で、それが本全体の三分の一程度になる120ページほどを占める。井上隆史、山中剛史、土肥秀行、エマヌエレ・チッカレッラ、ヴィルジニア・シーカ、ジョルジョ・アミトラーノらはじめ、イタリア、日本の三島文学研究の第一人者や翻訳者らが、それぞれの観点から、三島文学と作家像に、さまざまな方向から切り込みつつ今あらためて光を当てようとするもので、代表的なテクストをめぐる作品論や比較文学的な観点にはじまり、時代・政治・演劇・歌舞伎・能・映画・政治行動・言語・武道等との関連からのミシマ論が展開する。

　ただし、この本を単なる専門書にせず、ミシマをめぐるユニークな論集にしているのは、次章以降、この書物の中心部分をしめる「彼についてどう語られているのか」「世界の中のミシマ。イタリア、ヨーロッパ、それ以外の地域」と題されている2章だと言える。日本とイタリアに限らず、世界の作家・文化人・演劇人・日本文化愛好家・建築家・アーティスト等々に、どのように三島作品を読んだか、どのような経験をしているか、作家としてどんなイメージをもっているかを語らせ、さらに世界でミシマが今どう読まれているのかを探っていく。その中にはイスラエルやベルギーの作家から、日本の著名女性作家までが含まれている。たとえば、塩野七生は、自分は三島に関する質問に答えるには適切な作家ではないし、三島は自分が「作家」と定義するものに反すると短く答える。また多和田葉子は、短いことばで説明するのは難しいが、自分はつねに三島から距離をとってきた、と述べる。イタリアの演劇人たちは、三島の「ホモセクシュアリティ」や、演劇作品自体について抱いている関心について語っている。ストレーガ賞等を受賞した作家として評価が高いフランス文学者のアレッサンドロ・ピペルノは、ミシマをイタリア語フランス語の双方で読み込んだ時期があったこと、作家の思想やグロテスクな最期というステレオタイプ化されたイメージが、フランス文学との関わりや洗練された文体を評価することに自分の中では影響しないことを語っている。世界のミシマについては、翻訳出版や上演に関して述べられる。カヴァーされている地域は、ヨーロッパではフランス、ドイツ、イタリアに限らず、ギリシャ、ルーマニア、ハンガリー、フィンランド、スウェーデン、イギリス、スペインを含む。さらに、アメリカ合衆国、メキシコ、ブラジル、オーストラリア、トルコに加え、ソ連や中国での三島文学受容について語られ、最後にあらためて現在の日本での三島文学の読まれ方が分析される。

本の最後では、「付録」として興味深い証言が集められている。イタリア現代文学を代表する女流作家で日本との関わりの深いダチア・マライーニへの三島との個人的な出会いについてのインタビューや、キーン上原誠己氏による三島と父ドナルド・キーンの関係についての寄稿があり、それに加えてラ・ロッカ氏が三島からキーンに当てられた生前最後の書簡を紹介している。

日本の読者からは、イタリアで「世界のミシマ」への関心がどうしてここまであるのか？という驚きがあるかもしれないが、実は世界で三島文学が作者の生前から非常に広く読まれてきた国の一つだ。作品の現在も出版されている翻訳点数は多く、この本の中で紹介されているように、2000年以降にも新訳が何点もあるほか、研究と批評も盛んである。権威ある文学叢書として知られるモンダドーリ社「メリディアーニ叢書」に、マリア・テレーザ・オルシ監訳の2巻本として、三島由紀夫の小説・短編集が2004年から2006年にかけ刊行されたのは象徴的だ。彼の文学作品が世界の現代文学の古典として認められているとともに、その人生の軌跡と最期のイメージが、それぞれの立場から解釈されてかなり広く知られている場所でもある。『ミシマ・モノガタリ』は、その土壌に新たな世代による批評と三島文学の国際的受容の潮流に関する情報を加え、三島文学への新しいアプローチを提示したと言える。

（*Mishima Monogatari. Un samurai delle arti*, a cura di Teresa Ciapparoni La Rocca, Torinc, Lindau, 2020）

編集後記

安部譲二が『塀の中の懲りない面々』（文藝春秋）でマスコミに登場してきたのは一九八六年のことだったが、その屈託のない喋りを聞いて、三島の『複雑な彼』が絵空事の作り物ではなかったと思い当たった人は少なくなかったであろう。とすると、他のカラフルな〝お話〟のエンターテインメントも、モデルなり着実な取材なりが基になっているのではないかと想像されるのである。

さて、本号は特集「三島由紀夫のエンターテインメント１」として、八人の人に寄稿してもらった。八人全員に、三島のエンターテインメント観といった総論かこれこれの作品かのどちらかを書いてほしいと依頼したところ、杉山欣也氏が総論を寄せてくださったので巻頭に据えた。初めて三島由紀夫について書く光石亜由美氏にも加わってもらった。

山中湖のレイクサロンの講師は、藤田三男氏である。河出書房新社時代からの三島との親密な関係が、三島没後には瑤子夫人と『写真集三島由紀夫'25～'70』を編むところまで続く。氏の語り口の柔らかさは、レイクサロンの聴衆を魅了したが、活字でそれを味わってもらえたらと思う。

「資料」欄には毎回寄稿してくれる犬塚潔氏が、今回も手持ちの資料を惜しげなく提示してくれた。そのほかに三輪太郎氏と斉藤理生氏が登場してくれた。三島の高等科の卒業式に天皇が臨席していたかどうかは、これまで曖昧にされていたが、三輪氏が学習院の資料をもとに明確な事実を示してくれてありがたかった。

本誌に何度も寄稿してくれた田中美代子氏が亡くなった。たくさん話をしたものだと思い出されるが、こうなってみるとものの足りない気分が残る。

次号も『複雑な彼』を含むエンターテインメントの特集である。来年は、三島由紀夫生誕百年の年になる。どんな年になるのだろうか。

（佐藤秀明）

三島由紀夫研究㉔
三島由紀夫のエンターテインメント１

発　行――令和6年(二〇二四)5月15日
編　集――松本 徹・佐藤秀明・山中剛史
有元伸子・久保田裕子
発行者――金子堅一郎
発行所――鼎 書 房
〒134-0083 東京都江戸川区中葛西五-四一-一七-六〇六
https://www.kanae-shobo.com
TEL・FAX ○三―五八七八―○一二二
印刷所――太平印刷社
製本所――エイワ

ISBN978-4-907282-97-4　C0095